Boris Cyrulnik

Ivres paradis,
bonheurs héroïques

Odile Jacob

© Odile Jacob, avril 2016
15, rue Soufflot, 75005 Paris

www.odilejacob.fr

ISBN 978-2-7381-3467-7

Un héros au sourire si doux

Le lecteur qui s'embarque dans l'extrait qui suit a bien de la chance : il va cheminer, en compagnie du plus aimable et du plus pédagogue des neuropsychiatres, dans l'univers fascinant des héros. Bénéfiques ou maléfiques, ceux qui peuplent l'inconscient de chacun. À commencer par l'auteur d'*Ivres Paradis, bonheurs héroïques*, dont la pensée se déroule, de la neurologie à la sociologie en passant par la philosophie, jamais rectiligne mais toujours accessible.

De Boris Cyrulnik on connaît l'enfance, et la part tragique qui l'accompagne. Il est né dans une famille d'immigrés juifs d'Europe centrale et orientale, arrivés en France en 1930. Durant l'Occupation, ses parents le confient à une pension pour lui éviter d'être arrêté par les nazis. Il a six ans. L'enfant est recueilli par une institutrice bordelaise qui le cache chez elle. Il échappe également à la rafle qui a lieu à Bordeaux en janvier 1944. Pris en charge par le réseau de la Résistance, il est placé comme garçon de ferme, avant d'être recueilli, à la Libération, par une tante maternelle. Ses parents sont morts en déportation.

Cyrulnik l'affirme sans détour : face à de tels « accidents de la vie », il aurait pu « mal tourner ». Mais dans cette « enfance délabrée », il a pu s'identifier à des héros : sa mère, pour commencer, « niche sensorielle sécurisante » et fondamentale, son père, menuisier, qu'il a pu idéaliser avant qu'il ne disparaisse. À ces personnages réels s'ajoutent ceux de la fiction : Rémi de *Sans famille*, Tarzan, Zorro… Et puis, plus tard, ce sont des figures populaires, comme le Dr Schweitzer, qui lui serviront de guides. Ce processus d'identification est en tout cas essentiel au sujet humain. La neurobiologie confirme d'ailleurs ce que d'autres disciplines, comme la psychanalyse, ont établi : s'ils ne sont pas stimulés par un environnement sécurisant, les neurones du lobe préfrontal, où se développe l'anticipation, l'empathie et le lien aux autres, s'atrophient. Privé de ce développement, le bébé n'apprend pas à tenir ses émotions à distance et vivra chacune d'entre elles comme une agression.

Les héros nous sauvent de cet effondrement. Mais l'absence d'éducation ou certains contextes politiques, insiste Cyrulnik, peuvent nous conduire à nous attacher à des figures néfastes. Le nazisme, le communisme, l'islamisme s'érigent quand le tissu social s'est effiloché et que le corps politique a démissionné. La société se replie sur elle-même et désigne l'autre comme l'ennemi mortel. Le martyr devient alors un modèle, la pulsion de mort l'emporte sur la vie.

Lisez cet extrait, lisez ce livre. Il est celui d'un homme engagé, d'un humaniste inquiet, mais pas désespéré. Le combat de Boris Cyrulnik est à la fois psy et politique. Les héros fascinent et façonnent, parfois pour le pire, mais souvent pour nous construire, et révéler ce qu'il y a de meilleur en nous.

Philippe Romon,
Rédacteur en chef

La naissance du héros

Tout petit déjà, je rêvais d'admirer un héros. Par malheur, il n'y avait que du bonheur autour de moi. Comment voulez-vous, dans ces conditions, qu'on devienne vaillant ? On ne peut qu'être normal, ce qui est la cause d'une morne existence.

Devenu orphelin dès mes premières années, le monde s'est transformé en épopée : j'ai échappé à la Gestapo en m'enfuyant la nuit, j'ai rencontré des gens merveilleux, j'ai triomphé des nazis puisque j'ai survécu. N'ayant pas eu le droit d'aller à l'école, ayant appris à lire de-ci de-là, je ne sais où, je me réfugiais dans la rêverie que mes lectures alimentaient.

Mon premier héros fut Rémi de *Sans famille*[1], enfant artiste de rue, entouré d'animaux malicieux. Puis, j'ai aimé Oliver Twist, orphelin anglais exploité par de cruels adultes. J'ai admiré Jules Vallès, *L'Enfant* qui défendait le monde en luttant contre les méchants capitalistes. Ces héros ont enchanté mon enfance délabrée.

---

1. Malot H., *Sans famille* (1878), Paris, Payot, « Petite bibliothèque Payot », 2014.

Je n'ai pas aimé *Poil de Carotte*[1]. Son écriture vengeresse mettait en scène une mère moche, méchante et bigote. Elle maltraitait un papa mou qui se hâtait de vieillir afin de priver sa femme du plaisir d'être désirée.

Mes parents étaient des héros puisqu'ils étaient morts à Auschwitz. Ils auraient obtenu la nationalité française s'ils n'avaient pas été déportés. J'ai souvent relu cette phrase sur leur acte de disparition. Ils n'étaient pas morts, simplement disparus. Je regardais souvent une photo de ma mère toujours jeune et jolie, la main sous le menton, regardant vers le ciel dans une posture romantique. J'admirais mon père, dans son uniforme du bataillon des volontaires étrangers de l'armée française. Je me demandais pourquoi, blessé à Soissons, décoré par le général Huntziger, il avait été arrêté sur son lit d'hôpital par la police du pays pour lequel il combattait. J'étais fier d'eux, ils vivaient dans mon imagination.

Pas d'existence sans épreuves, pas d'affection sans abandon, pas de lien sans déchirure, pas de société sans solitude, la vie est un champ de bataille où naissent les héros qui meurent pour que l'on vive.

« Écoutez maintenant des choses étonnantes aussi bien qu'affreuses ! Neuf mille écuyers gisaient à terre, frappés à mort, et au centre douze chevaliers, compagnons de Dancwart. On le voyait seul debout au milieu des ennemis[2]. » Connaissez-vous l'histoire d'un pays qui ne commence pas par une tragédie ? C'est par l'épopée que débute le récit qui identifie un groupe. Un héros

---

1. Roman autobiographique de Jules Renard (1894), où un enfant raconte sa maltraitance quotidienne parce qu'il est roux.
2. *Chanson des Nibelungen*, cité *in* G. Chaliand, *Le Temps des héros*, Paris, Robert Laffont, 2014, p. 333.

blessé à mort n'est pas une victime puisqu'il a combattu pour que triomphe son peuple.

Ne connaissant pas mes origines, sachant mal de qui j'étais né, je ne pouvais que me rêver, ce qui était un grand bonheur. J'avais besoin d'un mythe fondateur, j'y ai cru, je l'ai aimé. Ça ne me gênait pas que tout commencement soit une tragédie. Puisque ça m'était arrivé dans le réel, je savais qu'il y aurait toujours un héros pour me sauver. « L'épopée qui relate des destins héroïques apparaît à l'aube historique lorsqu'un groupe prend conscience de lui-même, crée ses modèles et se célèbre à travers eux[1]. »

Que la vie serait fade sans événements menaçants ! Qu'elle est belle et tragique quand une aventure en marque le commencement ! J'avais besoin d'un héros qui ne serait ni divin ni vraiment sacré. Rémi, Oliver Twist, David Copperfield, Jules Vallès et Tarzan vivaient dans un monde de récits merveilleux et terrifiants. Mes héros étaient faits du même sang que le mien, nous traversions les mêmes épreuves de l'abandon, de la malveillance des hommes et de l'injustice des sociétés. Leur épopée me racontait qu'il était possible de s'élever au-dessus de la fadeur des jours et du malheur de vivre.

Quand ils parlent des merveilleux malheurs dont ils ont triomphé, nos héros nous montrent le chemin. Il en est ainsi au départ de toute existence. Quand, lors de notre naissance, nous débarquons au monde, nous ressentons un effroi qui se transforme en chaleur merveilleuse dès qu'une figure d'attachement nous prend dans ses bras, nous apaise et nous montre la voie.

---

1. Étiemble R., *L'Épopée de l'épopée*, Paris, Gallimard, 1974, cité *in* G. Chaliand, *Le Temps des héros, op. cit.*, p. 7.

Comment raconter une épopée en termes quotidiens ? On ne peut tout de même pas écrire : « Ulysse a acheté du pain à la boulangerie du coin. Il a trouvé que la baguette était trop chère. » Ce n'est pas ainsi que parlent les héros. Il leur faut de l'emphase et de la poésie pour se placer au-dessus des hommes. Écrivez alors : « Ulysse dans sa juste fureur s'emporta et décida de lutter contre la famine. Il fit fructifier le froment et, grâce à son superpouvoir, distribua du pain aux pauvres. » Voilà comment on se paye de mots. Tel est le langage du héros, c'est celui de l'épopée. Grâce à Ulysse, le peuple affamé put reprendre des forces afin de lutter contre le tyran.

« Je préfère mourir debout que vivre à genoux », a dit Jacques Decour avant d'être fusillé par les soldats allemands[1]. Voilà comment parle un héros ! Il est mort de cette phrase, mais que c'était beau ! Devant tant de courage et de majesté verbale, je me sens beaucoup mieux.

Quand j'étais petit, le monde était peuplé de vieux. Quatre-vingts ans plus tard, il n'y a que des jeunes autour de moi. Comment expliquez-vous ça ? Le monde était méchant quand j'étais seul et faible, ignorant de la vie. Mais dès que j'ai été rassuré par une figure familière, le même monde m'a intéressé. C'est l'affection qui m'a sécurisé et m'a donné la force et le plaisir d'explorer la vie. Une tragédie sociale m'avait privé de toute figure familière, le premier lien familial avait été déchiré par la guerre, les substituts éducatifs avaient tenté une suture souvent maladroite, c'est mon héros qui me réconfortait quand je pensais à lui, c'est lui qui me donnait la

---

1. Cité dans Camus A., *L'Homme révolté* (1951), Paris, Gallimard, « Folio Essais », 1985.

force d'affronter un réel désespérant. Je devais donc lire, rencontrer et rêver pour me remettre à vivre.

C'est ainsi que j'ai rencontré le Rémi de *Sans famille*. « Je suis un enfant trouvé », m'a-t-il dit dès la première ligne. Je me suis alors demandé comment il était possible de devenir un homme quand on est sans famille. Quand j'ai croisé Rémi, j'étais âgé de 11 ans, il en avait 10. Ce petit héros parlait de moi, il m'indiquait un chemin de vie possible, malgré tout. Enfant trouvé (donc perdu), c'est l'amour de madame Barberin qui l'avait réchauffé. Mais quand son mari blessé, incapable de travailler, a été renvoyé des chantiers, il a vendu la vache et chassé l'enfant. Rémi, par bonheur, a rencontré un merveilleux substitut artistique, monsieur Vitalis le bien nommé et sa petite troupe composée de trois chiens et d'un singe qui lui ont permis de gagner sa vie en produisant des spectacles dans les villages de France. Quelle poésie ! Malgré son malheur, Rémi et sa nouvelle famille m'ont entraîné à chaque page vers de nouvelles aventures. L'histoire de mon héros me reconstruisait, puisqu'elle me racontait qu'il était possible de reprendre une place dans l'aventure sociale.

Si vous n'aimez pas Rémi, c'est que mon héros n'est pas le vôtre. Votre histoire est différente, nous n'avons pas les mêmes blessures, nos pansements seront variés. Si vous souffrez de la pauvreté dans une culture marchande, vous serez sauvé par l'histoire d'un immigrant devenu riche en se baissant pour ramasser une épingle. Ce monsieur s'appelait Rockefeller, et l'épingle de cravate était un petit diamant. Cette légende a réconforté des milliers de pauvres immigrés en donnant forme à leur désir de rêve américain.

En grandissant, j'ai préféré Oliver Twist, qui avait échappé à la délinquance forcée en découvrant une famille bourgeoise. Mais le héros qui m'a le plus accompagné dans mes années d'enfance, c'est à coup sûr Tarzan. Son corps musclé, son poignard passé dans la ceinture de son slip déchiré, son cri étrange qui appelait à la rescousse ses amis les animaux provoquaient en moi un joyeux plaisir. Dans les salles de cinéma, les spectateurs criaient avec Tarzan et encourageaient les lions, les chimpanzés et les éléphants à accourir. « Plus vite ! », criait la salle. C'était magnifique et moral aussi, car Tarzan, devenu roi des animaux, les a protégés à son tour contre la méchante civilisation.

L'auteur des jours de Tarzan s'appelait Edgar Rice Burroughs. Il n'était jamais allé en Afrique car il ne se plaisait qu'à Los Angeles[1]. Aucune importance, ce qui comptait pour moi, c'était l'image d'un orphelin dans la jungle. Tarzan me racontait qu'après la mort de ses parents dans un accident d'avion, de gentils animaux, substituts maternels, l'avaient sauvé et rendu roi de la jungle. Dans sa gratitude filiale, Tarzan était devenu leur chef pour mieux les protéger. Son enfance fracassée l'avait chassé de la condition humaine, mais les animaux l'avaient humanisé. Quand il a grandi, la divine Jane l'a civilisé en lui apprenant à parler au lieu de crier : « Toi Tarzan, moi Jane », lui avait-elle enseigné en pointant son joli doigt.

Tarzan me racontait ma propre histoire en termes poétiques. Mon héros avait métamorphosé le malheur de mon enfance en aventure magnifique. Tarzan me montrait le chemin.

En grandissant, j'ai rencontré d'autres héros. Je les ai aimés eux aussi, un peu moins que Tarzan – j'en

---

1. Lacassin F., *Le Cimetière des éléphants*, Amiens, Encrage Éditions, 1996, p. 49.

avais moins besoin. J'avais trouvé une famille, j'allais à l'école maintenant, nous jouions au football dans la rue. Je jouais mal, mais j'étais entouré de copains. Quand une voiture arrivait, nous posions un pull-over par terre pour repérer l'endroit où était le ballon. Quand elle était passée, nous remettions le ballon à la place du pull-over et le match recommençait. En 1948, à Paris, cela arrivait trois ou quatre fois par heure.

Dans ce nouveau contexte familial et social, j'ai aimé Superman parce qu'il était musclé et qu'il volait au secours des faibles. Puis j'ai aimé Mandrake le Magicien qui faisait disparaître ou apparaître les objets selon sa volonté. Puis j'ai aimé Nasdine Hodja, parce que mon oncle Jacques m'apportait tous les jeudis *Vaillant, le journal le plus captivant*. J'ai aimé ce héros qui sauvait les Arabes avec son turban exotique, ses pantalons bouffants et son sabre courbe, plus terrible que les glaives rectilignes des Francs. À cette époque, où un Français sur trois était communiste, le Comité central préparait les jeunes esprits à accepter l'idée que les Palestiniens allaient s'allier avec les Israéliens pour faire exploser les monarchies proche-orientales. Les héros seraient-ils porteurs d'un message idéologique ?

Vers l'âge de 14 ans j'ai découvert Jules Vallès, un enfant maltraité qui devenait *L'Insurgé* pour réparer les injustices sociales[1]. J'ai lu avec fièvre un grand nombre de pages de *La Révolution française* dans un gros livre relié[2] acheté au marché aux puces. Le peuple arrachant sa liberté, je trouvais ça très beau, plus beau que Zorro

---

1. Vallès J., *L'Enfant*, 1879 ; *Le Bachelier*, 1881 ; *L'Insurgé*, 1886.
2. Blanc L., *Histoire de la Révolution française*, Paris, Maurice Lachâtre et Cie, 1878, 2 tomes.

qui commençait à me paraître naïf avec son cheval et son grand chapeau. J'étais gêné par les décapitations de la Terreur et les noyades de Nantes au cours desquelles trois mille curés avaient été jetés à l'eau par les révolutionnaires. Était-ce bien utile ? Est-ce ainsi que l'on vit quand il faut prendre le pouvoir pour écraser les oppresseurs comme ils nous ont écrasés ? Devenir persécuteur à mon tour, ce n'est pas ainsi que j'imaginais mon avenir.

Quand on est enfant, on ne peut que rêver la vie qui nous attend. Parmi les scénarios que la culture propose, certains vont satisfaire nos aspirations mal conscientes. Ce n'est pas un vrai rêve, c'est plutôt une forme narrative donnée à nos désirs : « Grâce au récit nous parvenons à […] construire une personnalité qui nous relie aux autres, qui nous permet de revenir de manière sélective sur notre passé, tout en nous préparant à affronter un futur que nous imaginons[1]. »

Tarzan n'est pas un surhomme, c'est un éclopé, un privé de famille, seul dans la brousse où tout est dangereux. En racontant son histoire, il donnait forme à mes rêves : « Un jour je serai fort, je sauverai les animaux et rencontrerai Jane. »

Superman me contait une aventure du même type. Né en 1938 sur une planète menacée de destruction, il s'enfuit sur un vaisseau interplanétaire. Recueilli par un couple sans histoires, il découvre ses superpouvoirs, mais préfère les cacher sous l'apparence d'un petit journaliste timide[2]. Il a peur des femmes et ne peut aimer Loïs Lane que de loin, sans oser le lui dire tant elle l'impressionne.

1. Bruner J., *Pourquoi nous racontons-nous des histoires ? Le récit au fondement de la culture et de l'identité individuelle*, Paris, Pocket, 2005.
2. Rogel T., *Sociologie des super-héros*, Paris, Hermann, 2012, p. 26.

« Ne vous fiez pas à l'apparence, cherche-t-il à nous faire croire, vous pensez que je suis un orphelin fragile, alors que je possède des superpouvoirs que je cache pour ne pas vous dominer. »

Batman est né en 1939 mais s'est retrouvé seul quand ses parents ont été assassinés. Cette tragédie est à l'origine de sa vocation de traquer les assassins.

Spiderman est né en 1962. Orphelin lui aussi, recueilli par sa tante, il est piqué par une araignée qui lui donne des pouvoirs arachnéens. Il peut coller aux murs et tisser une toile où s'engluent les bandits.

En devenant étudiant en médecine, j'ai encore une fois changé de héros. J'ai aimé les images de médecins qui créaient en moi une impression composée d'un mélange de Zorro et de quelques zestes de Mandrake le Magicien. Ces hommes avaient un pouvoir qu'il était possible d'acquérir, afin de soigner les malades et les pauvres. Je lisais Cronin[1] et Franck Slaughter[2]. J'allais au cinéma pour voir *Le Grand Patron*[3], dans lequel Pierre Fresnay mettait des paillettes dans mon âme pendant plusieurs semaines. J'étais à l'affût de tout renseignement concernant le docteur Schweitzer et son aventure africaine. Ces héros médicaux sortaient du peuple pour sauver le peuple, quelle belle mission !

Quand on est petit et faible, il faut être mégalomane pour espérer un jour devenir un homme. On ne peut tenter ce rêve que si notre entourage nous permet d'y croire. On ne parvient au sommet de l'Himalaya que s'il y a un camp de base pour se ressourcer et

---

1. Archibald Joseph Cronin est un orphelin devenu médecin des pauvres et champion de football, auteur de nombreux romans.
2. Slaughter F. G., *Afin que nul ne meure*, Paris, Pocket, 1980.
3. *Le Grand Patron*, film d'Yves Ciampi, 1951.

reprendre son souffle. Un enfant ne peut se développer que s'il est tutorisé par un milieu sécurisant et fortifiant[1]. Alors, vous pensez bien que pour un orphelin, un sans-famille, un enfant sans espoir, un camp de base ne peut être qu'imaginaire puisqu'il n'y a rien autour de lui. Par bonheur, un héros pourra l'aider à construire au fond de lui le sentiment qu'un être faible possède des dons cachés qui vont l'épanouir, malgré tout.

Un homme affaibli par les malheurs de l'existence se réfugie lui aussi dans un imaginaire compensateur, pour ne pas se laisser mourir. Comment vais-je faire pour m'en sortir ? Qui va m'aider ? Que dois-je dire pour ne pas être écrasé par la pitié des nantis ? C'est ainsi qu'un Congolais mégalomane énumère ses richesses : « J'ai trois flacons d'eau de Cologne, deux cantines et une armoire pleine de vivres. » Dans un contexte social où l'on gagne un dollar par jour et où le soir on se contente de mâcher un bambou de canne à sucre, il faut être mythomane pour affirmer un tel rêve. « J'ai un pagne qui coûte cher, mais j'ai aussi une natte. Personne n'en a d'aussi jolie[2] », affirme-t-il pour cacher sa honte de dormir à même le sol.

---

1. Cyrulnik B., Delage M., « Tuteurs de résilience », *L'Encéphale*, 2016 [à paraître].
2. Médecin-colonel Martin G., « Sur les troubles psychiques de quelques infections tropicales », *Les Grandes Endémies tropicales*, 1935, vol. 7, p. 117-134, cité *in* H. F. Ellenberger, *Médecine de l'âme*, Paris, Fayard, 1995, p. 437.

L'idiot du village,
vengeur de notre médiocrité

Monte-Cristo est un héros dans la mesure où il répare, vingt ans après, une terrible injustice. Cette autoréparation révèle que notre identité ne cesse de changer alors qu'on éprouve comme une évidence le sentiment de rester soi-même. Vingt ans après le crime de la justice, Monte-Cristo, qui n'est plus le même, répare le crime commis contre lui-même. Et nous, lecteurs, on trouve ça logique et moral.

« Le héros est donc un personnage mythique vivant dans un monde profane[1]. » La manière dont l'image du héros vit dans sa culture n'a aucun besoin du bonhomme réel qui, dans la vie quotidienne, n'a rien d'un héros. Mais quand l'homme blessé voit dans le regard des autres l'image de lui-même que lui renvoie la société, il se sent réparé : une petite mythomanie, nécessaire peut-être ?

L'héroïsation constituerait-elle un mécanisme de défense légitime, une adaptation à un contexte social délabré ? Dans ce cas, « les nouveaux surhommes, ce sont justement les idiots du village, vengeurs de notre médiocrité[2] ». Dans notre cinéma actuel, les héros ne racontent plus d'épopée. *Gilgamesh*, l'*Iliade*, *La Chanson de Roland* ont cédé la place aux guerres populaires ou aux films d'aventures, comme si l'épopée s'était démocratisée. Bien sûr, Napoléon enflamme encore les esprits, comme un beau livre d'images, avec des uniformes aux couleurs

1. Rogel T., *Sociologie des super-héros*, *op. cit.*, p. 133.
2. Eco U., *De Superman au surhomme*, Paris, Grasset, 1975.

audacieuses, des mouvements de troupes en magnifiques défilés. Napoléon entre dans la légende bien plus que dans la réparation psychique d'un petit Corse humilié par la vente de son île avec ses habitants[1]. Alors, on lui pardonne la ruine de l'Europe, les millions de morts et la diminution des frontières françaises, pour ne retenir qu'un fabuleux récit populaire, une légende et une réforme administrative dont bénéficient encore la France et l'Europe.

Le héros moderne est un homme du peuple, un Égyptien qui part à vélo pour chercher du travail, ou une petite fille iranienne qui raconte l'entrave d'une dictature religieuse. L'idiot et le handicapé sont aujourd'hui des héros, mais c'est souvent le sans-famille qui est encore mis en scène. Comment, partant de si bas, peut-il arriver si haut ? La ficelle est grosse puisque, justement, partant de très bas, il suffit de progresser un peu pour se sentir plus haut. Un enfant placé dans une institution parce que sa famille est considérée comme violente et non éducative sera comptabilisé parmi les réussites sociales s'il acquiert un métier manuel. Alors qu'un enfant de nantis qui ferait le même boulot serait considéré comme en échec scolaire[2].

Les orphelins sont faciles à mettre en mythe. Un berger égyptien nommé Moïse rencontre Yahvé, caché dans un « buisson ardent », qui lui demande de délivrer le peuple d'Israël et de le mener en terre promise. On parle encore de ce sauveur et des tables de la loi qui régissent de nombreuses sociétés.

Le roi Laïos et Jocaste, sa femme, abandonnent le nouveau-né Œdipe, espérant ainsi éviter l'oracle

---

1. 1768, vente de la Corse à Louis XV lors du traité de Versailles.
2. Séminaire « Que sont-ils devenus ? », Institut d'études avancées (IEA), hôtel de Lauzun, Paris, 5 juin 2015.

d'Apollon qui avait prédit que cet enfant était voué à tuer son père et à épouser sa mère. Vous connaissez la suite, le destin est inexorable.

Romulus et Remus, enfants abandonnés, sont allaités par la louve. Romulus devient le premier roi légendaire, fondateur de Rome, et sa mère de substitution donne naissance au mot « lupanar », dérivé de *lupa* (« louve »), car on ne sait jamais d'où vient un orphelin. Est-il un fils de roi ou de prostituée ? Qui sont les parents de Superman, Batman, Oliver Twist, Rémi, Gavroche, Cosette ? Ces enfants sans filiation ont toutes les libertés, ce qui leur coûte cher. Sans parents, sans foyer, sans enfants, Super-Héros peut se vouer à ceux qu'il sauve. Sans charges de famille, il peut en toute liberté choisir les chaînes qui l'entravent afin de se consacrer à ceux qu'il va protéger, les faibles, les humiliés, les pauvres et les handicapés. Monsieur le héros devient leur sauveur, comme Tarzan qui tombe du ciel, Zorro qui accourt avec sa cape et son épée fulgurante, ou la cavalerie américaine qui, dans un éclat de clairons, déboule à toute allure pour sauver les braves pionniers encerclés par les méchants Indiens.

Ces situations héroïques mettent en scène un même thème : un enfant sans famille échappe à la mort par le plus grand des miracles. C'est pourquoi, devenu adulte, il sait ce qu'il faut faire pour se transformer en sauveur, en humble sauveur, car il vient de·la plèbe, du bas peuple, des enfants abandonnés, même quand il est fils de roi. Le sauveur est initié puisqu'il a vu la mort et lui a échappé. Ceux qui souhaitent être sauvés n'ont qu'à se soumettre à celui qui sait comment vaincre la mort.

Le héros est un remède contre la faiblesse naturelle des enfants, la blessure relationnelle des adultes ou l'humiliation historique d'une nation. Ce n'est ni un surhomme ni un demi-dieu puisqu'il ne descend pas du mont Parnasse. Au contraire même, il sort de la boue où nous pataugeons, nous les désespérés qui avons besoin de lui.

Monsieur le héros ne peut pas s'habiller comme tout le monde parce que, dans ce cas, il prendrait l'apparence de Monsieur Tout-le-monde. Au moment où il use de ses superpouvoirs, ses vêtements écrivent qu'il est plus que tout le monde. Il porte un slip en peau de bête avec un poignard dedans, il masque son visage derrière un loup pour donner l'impression d'un mystère qui cache la banalité de son visage, il coud un « S » sur son maillot de corps pour que l'on voie bien qu'il est « Super-quelque chose », il porte un béret avec une étoile et une barbe révolutionnaire qui prouvent qu'il sort du peuple afin de sauver les opprimés, il est vêtu d'un uniforme non réglementaire qui signale sa fonction de défenseur armé.

Cette écriture préverbale raconte qu'un héros ne peut naître que dans des circonstances extrêmes : faiblesse d'un enfant qui espère devenir fort pour ne plus avoir peur de la vie, ou faiblesse d'un adulte blessé qui rêve de se reconstruire. Le monde s'éclaire quand apparaît un héros. Le Bien triomphe du Mal, le faible renverse le fort, le doute a disparu, on peut choisir son camp et croire en celui qui montre le chemin.

Le brave pionnier construit une cabane en rondins que sa femme décore avec des fleurs et des rideaux. La jeune maman, belle, blanche et courageuse, élève vertueusement de mignons enfants blonds. C'est alors que surgissent les méchants Indiens, effrayants avec leur visage couvert de peintures sauvages. Ils lancent des tomahawks, brûlent les maisons et les champs de blé que les courageux pionniers avaient eu tant de mal à cultiver. Au loin, on entend les clairons de la cavalerie alertée par le brave chien Rintintin. Elle galope à toute allure pour sauver à l'ultime seconde cette famille bien-pensante.

Toutes les cultures ont besoin de héros puisqu'il n'y a pas d'Histoire sans tragédies. Mais la narration révèle que ce preux amoindri, bafoué et amer cherche un ennemi pour expliquer son malaise. Un fou, par ses comportements et ses mots étranges, un Nègre par sa peau noire deviendront des ennemis faciles à identifier. Le Juif est sournois puisque s'il ne l'avoue pas, on ne peut pas savoir qu'il est juif. C'est pourquoi il faut le repérer en l'obligeant à porter un chapeau pointu ou en le marquant d'une étoile jaune. Alors, dans son besoin d'idées claires, le groupe humilié établit un catalogue d'indices qu'il doit apprendre à décrypter afin de reconnaître celui par qui le malheur arrive.

Le héros, grâce à une histoire hors normes, a acquis des qualités exceptionnelles dont il entend nous faire profiter, à condition qu'on écoute ses consignes. Entre le sauveur et les sauvés, entre le « plus fort que la mort » et le groupe agonisant, s'établit une complicité émotionnelle, presque érotique. On adore se soumettre à celui qui nous libère, on appelle ça *la gratitude*. Qu'il s'agisse d'un messie, d'un prophète ou d'un rédempteur, c'est notre obéissance qui lui donne un effet sécurisant. On ne sait pas pourquoi on éprouve tant de bonheur à suivre ce conducteur, nous qui étions malheureux. On met longtemps avant d'oser découvrir qu'on aime le côtoyer parce que l'histoire de sa vie nous raconte ce qu'on espère en donnant une forme narrative au besoin de ne plus se sentir faible et humilié. Notre heureuse soumission est aveuglée par l'excessive clarté des récits auxquels on aspire.

En produisant une image, en agençant des mots pour raconter l'histoire d'une victime triomphante, le récit héroïque prend un merveilleux effet puisqu'il met en scène une épopée. On croit que le roman est hors de nous, alors qu'il ne parle que de notre désir de dignité, de liberté ou de revanche. Quand les mythes sociaux traitent les problèmes fondamentaux de la condition humaine (création du monde, séparation de la nature et de la culture, différences entre hommes et femmes), le héros romanesque émerveille le quotidien. Une fiction qui raconte les superpouvoirs du héros, son courage, sa fidélité, sa moralité parle de celui qui nous représente. Ce héros est notre porte-parole, il donne de nous-même une image revalorisée. On n'est pas apeuré puisqu'il est courageux, on n'est pas faible puisqu'il est fort, on est unis par l'amour du héros qui nous galvanise. Quand il raconte ce qu'on désire, nous nous faisons complices du pouvoir qu'on lui donne en lui obéissant.

Lorsque l'épopée de nos pères a été une glorieuse tragédie, une morne vie quotidienne nous fait honte. C'est une non-vie avant la mort. Au moment où nous mourons d'ennui dans une existence sans projets, nous espérons l'épopée qui mettra en feu nos âmes engourdies. Nous avons besoin de stress pour nous sentir vivant et le récit d'un malheur nous fait revivre dans la représentation verbale ce qui nous est arrivé. Un malheur nous identifie. Si nous restons seuls après l'effraction traumatique, nous ne pouvons que répéter les mêmes mots et revoir les mêmes images. Cette rumination mentale nous met sur le tapis roulant de la dépression. Mais quand nous pouvons partager un récit, nous devons choisir les mots et fabriquer les phrases que nous allons adresser à une personne de confiance, un proche qui saura nous comprendre. Ce travail nous aide à remanier la mémoire du malheur. Nous sommes déjà moins soumis au réel douloureux puisque nous parvenons à modifier la représentation de ce réel. Quand tous ensemble nous habitons une épopée, nous métamorphosons le malheur, nous le transformons en griserie triomphante. C'est pourquoi, si souvent, nous nous mettons à l'épreuve afin de découvrir notre valeur, nous érotisons la peur pour nous sentir vivants et quand nous en avons triomphé, nous en faisons un récit délicieux à partager.

Un personnage héroïque, une épopée sociale allument notre imaginaire de mille prouesses. La marche joyeuse des soldats en guenilles exalte Fabrice Del Dongo : « Cette époque de bonheur imprévu et d'ivresse ne dura que deux ans [...], le peuple s'ennuyait[1]. » Quand les passions sont brûlantes, elles grandissent les hommes. L'épopée napoléonienne fut un moment de bonheur imprévu, peu importent les souffrances, les morts et la ruine, c'est à ce prix qu'on se sent vivre. Le temps d'un récit fabrique un héros, et la littérature héroïque qui n'est pas coupée du réel met en scène ce dont souffre le groupe. Le héros, sa vie, son œuvre racontent une histoire de réparation dans des contextes culturels qui ne cessent de changer.

---

1. Stendhal, *La Chartreuse de Parme* (1839), Paris, Garnier-Flammarion, 2009, p. 43.

La fabrique des héros

Depuis que les êtres humains dessinent sur les parois, sculptent sur les pierres, fabriquent des armes, et écrivent sur des parchemins, ils racontent des histoires épiques. Admettons que le héros soit né au Moyen-Orient, il y a trois mille ans, en même temps que l'écriture et la constitution des « cités-États ». Les Sumériens, les Égyptiens et les Anatoliens inventaient les prémices des sociétés modernes avec leurs murs, leurs règles administratives, leurs outils et leurs armes en bronze[1]. Tous les ingrédients étaient là pour fabriquer un héros[2]. Les armes sont des œuvres d'art. Sur les peintures paléo-rupestres, les arcs, les flèches et les lance-projectiles accompagnaient des dessins de taureaux blessés, d'hommes éventrés et de batailles d'archers. Dans les premières sépultures, on a trouvé des squelettes ornés avec des coquillages, des cailloux colorés et des poignards en silex. À l'âge du bronze, la technique de fabrication des armes s'est associée avec des représentations artistiques pour susciter une sensation épique : « Il a donné la mort, il est mort, quelle tragique merveille ! » exprimaient probablement les dessinateurs paléo-rupestres[3]. On enterre le mort avec son épée pour montrer qu'il a combattu. On peut imaginer qu'avant l'âge du bronze le plus habile chasseur correspondait à ce qu'on appellerait aujourd'hui un éclaireur qui défriche

---

1. Leroi-Gourhan A., *Dictionnaire de la préhistoire*, Paris, PUF, 1988, p. 160-162.
2. Guilaine J., Zammit J., *Le Sentier de la guerre. Visages de la violence préhistorique*, Paris, Seuil, p. 272.
3. Collectif, *L'Aube des civilisations*, Paris, Gallimard, « Découvertes », 1991, p. 108-111.

la piste ou un chef de chasse qui traque le gibier. On l'admirait, on l'écoutait, mais la sensation de héros ne pouvait être ressentie que lors d'un événement exceptionnel, quand un animal tuait un chasseur ou quand un groupe voisin s'emparait de nos vivres.

Les guerres prééétatiques (quand un groupe d'hommes attaquait son voisin) étaient fréquentes et meurtrières. La moitié de la population des vaincus disparaissait sous les coups des vainqueurs. Les guerres aristocratiques étaient moins meurtrières car les armes et les uniformes coûtaient cher. Avec les progrès techniques, les armes se sont répandues et les récits populaires, en fanatisant les soldats, ont facilité les massacres de populations. Désormais, ce n'est plus la survie d'un groupe affamé qui déclenche la guerre, ce sont des récits qui donnent forme aux croyances et légitiment la tuerie. La technologie des armes se met au service de la puissance des mots pour faciliter les massacres de masse. L'art et la mort font la noce au son des fifres et des tambours. Les soldats en uniformes exécutent des parades de beauté et les récits héroïques racontent leurs épopées.

Le héros n'est pas un surhomme puisqu'il a été blessé. Quand il lui arrive de mourir, le récit de sa mort est tellement émouvant qu'il vit encore mieux dans l'esprit de ceux qu'il a voulu sauver. Le groupe n'est pas totalement vaincu puisqu'il peut encore s'identifier à un héros qui lui permettra peut-être de remporter la victoire finale : « La France a perdu une bataille, mais la France n'a pas perdu la guerre », a dit Charles de Gaulle en juillet 1940. Suis-je en train de parler des héros de la Résistance ? « Non, non, tu n'es pas mort, ta flamme n'est pas morte », chantaient les Jeunesses communistes pour vénérer les héros morts au champ d'honneur.

La guerre est une machine à écrire où nous pouvons justifier les crimes et chanter les louanges de ceux qui sont morts pour nous. Sur le terrain, dans la vie quotidienne, ces hommes étaient réels donc imparfaits, mais grâce à l'art des récits, ils sont devenus de merveilleux mythes réconfortants. Il n'y a plus de hiérarchie entre le chasseur expérimenté et ceux qui le suivent pour se nourrir. C'est l'apparat qui désormais place le héros au-dessus du peuple dans une représentation théâtrale.

Le surhomme possède des qualités qui le placent au-dessus de la condition humaine. C'est lui le plus fort, le plus beau, le plus intelligent, le plus tout, mais c'est à son propre service qu'il consacre ses qualités surhumaines. Alors que son petit frère, le héros, n'est pas un surhomme. Il a été blessé et n'est pas invulnérable puisqu'il lui arrive d'être tué. Ses qualités exceptionnelles, il les consacre à son peuple, à ceux qui ont besoin de l'admirer et de l'aimer pour se sentir protégés. Les surqualités de cet homme vulnérable sont à la disposition d'un peuple vaincu qui parviendra peut-être à remporter la victoire finale, à condition de se soumettre au héros. Le surhomme domine le peuple et lui impose sa force, alors que le héros demande au groupe des humiliés de bien lui obéir afin de profiter de ses surqualités. Le héros met en scène son désir de mourir pour que vive son peuple, alors que le surhomme ignore les besoins de ceux qu'il domine.

Il s'agit bien d'une relation érotique entre le héros et le peuple qu'il sauve : « Si tu te donnes à moi, si tu t'abandonnes à mes ordres, tu pourras à nouveau jouir de la vie », pourrait dire le héros à son peuple amoureux.

Le surhomme, en dominant ses administrés, jouit de la domination qu'il impose. Il établit des rapports de force, là où le héros préfère l'enchantement et la séduction épique. Le groupe écrasé par le surhomme ne pense qu'à lui échapper, à se rebeller, à l'écraser à son tour à la moindre défaillance. Le peuple sauvé par un héros se laisse subjuguer, pour son plus grand bonheur.

Dans la vie quotidienne, le bonhomme-héros est seul. Il n'intéresse personne quand il va acheter son pain, alors que son image de héros remplit le monde mental de ceux qu'il a sauvés : « Il s'empare de l'imagination [...] de peuples entiers[1]. »

C'est curieux, cette idée que notre mort pourrait rendre heureux ceux qui nous aiment. Qui pourrait être séduit par une telle proposition ? Ce sentiment met le héros dans une posture de masochisme moral. « En raison d'un sentiment de culpabilité inconscient, le masochisme moral recherche la position de victime, sans qu'un plaisir sexuel soit directement impliqué[2]. » Un érotisme sans sexualité, ce n'est pas rare, comme en témoignent les mystiques et les fanatiques qui se mettent en position de victime pour se faire aimer par ceux qu'ils sauvent : « Je suis prêt à mourir pour vous, s'il faut cela pour que vous m'aimiez. » Alors le peuple, plein de gratitude, adore le sauveur et se prosterne. Se poser en victime volontaire devient dans ce cas une stratégic pour accéder au pouvoir, non pas en s'en emparant mais en se le faisant donner.

Le sacrifice de deux policiers (une Antillaise et un Français d'origine maghrébine) qui se sont fait tuer en

---

1. Nietzsche F., *Humain, trop humain* (1878), Paris, Le Livre de Poche, 1995, p. 143.
2. Laplanche J., Pontalis J.-B., *Vocabulaire de la psychanalyse*, Paris, PUF, 1973, p. 231.

protégeant des innocents les 7 et 8 janvier 2015 lors
des attentats contre *Charlie Hebdo* et l'Hyper Cacher, a
provoqué un élan d'affection envers les gendarmes (ce
qui n'est pas habituel). On les embrassait, on les flattait
dans un élan affectueux qui n'était pas sexuel. « Ils se
sont sacrifiés, ils sont morts en héros pour nous protéger », a pensé la foule reconnaissante. Dans l'esprit des
forces de l'ordre, il s'agissait plutôt d'un contrat social :
« Je fais mon métier qui comporte un risque de mort,
mais je ne désire ni la donner ni la recevoir », auraient-
ils probablement dit. À l'opposé, le candidat héros fait
savoir qu'il est prêt à mourir pour sauver son peuple.
Il s'agit d'une oblativité morbide, où mourir pour que
l'autre vive engage le héros qui annonce son sacrifice.
C'est un contrat pervers où le héros, par l'énormité de
sa promesse de don, lie la victime qui a besoin d'être
sauvée. Ce projet de sacrifice est une tyrannie affective
masquée : « Tout cela, je te le donnerai, si, tombant à
mes pieds, tu te prosternes devant moi[1]. » Cet énorme
cadeau est un contrat d'asservissement. Le diable endette
les âmes qu'il désire acheter. Mais qui fait la bonne
affaire ? Le peuple sauvé, l'humilié réconforté ou le
héros qui a obtenu le pouvoir grâce à sa promesse de
sacrifice ? « C'est surtout l'établissement du lien avec
le père idéalisé, avec le meneur, lien d'amour qui met
chaque fidèle dans une forte dépendance […] une soumission[2]. »

Le sacrifice nécessite une liturgie théâtrale, afin de
bien montrer qu'il ne s'agit pas d'une mort banale, elle
doit être lumineuse, sublime, transcendante, comme lors

---

1. Évangile selon saint Matthieu 4, 9.
2. Rosolato G., *Le Sacrifice. Repères psychanalytiques*, Paris, PUF, 1987, p. 63.

d'un holocauste où la victime religieuse accepte d'être entièrement brûlée. « Le sacrifice entraîne l'alliance de Dieu par la totale soumission d'Abraham. Son seigneur lui dit : "Soumets-toi !" Il répond : "Je me soumets au Seigneur des mondes [...], les héros courageux ont vaincu la foule [...], ils ont obtenu de la victime qu'elle consente, qu'elle s'offre d'elle-même à l'immolation." Cette "comédie d'innocence" est un trait commun aux sacrifices[1]. » Le peuple sauvé consent à l'holocauste, il se laisse immoler par son sauveur. Chacun est lié, soumis à un autre dont il ne connaît que l'image. Le héros met en scène son désir de sacrifice extatique, et les fidèles se laissent immoler par un sauveur qu'ils idéalisent. Ce schéma de pensée possède un grand effet tranquillisant : « Donnons-lui tous les pouvoirs, pense le groupe amoindri, il est tellement puissant qu'il saura nous sauver. » C'est ainsi que fonctionnent les utopies sociales et les contrats pervers.

Un peuple ne peut pas se prosterner n'importe quand, devant n'importe quel sauveur. Pour déclencher un tel rapport, il faut que la situation soit tragique et que le candidat héros possède un talent théâtral. Il ne peut gouverner les émotions de la foule, provoquer son indignation, son espoir ou son enthousiasme que s'il est capable de gestes grandiloquents, s'il a une voix de stentor et s'il porte sur lui des objets de héros. Quand la mise en scène est fascinante, les idées passent au second plan, la foule réagit comme un seul homme, synchronisée par l'émotion.

Dans la vie quotidienne, il n'est pas rare que le héros soit chétif et craintif, puisque la qualité nécessaire

---

1. Rouillé d'Orfeuil M., *Sacrifice*, Paris, L'Harmattan, 2015, p. 52-53.

pour devenir un héros, c'est de savoir mettre en scène la tragédie dont souffrent les habitants de la cité. Il y a une discordance entre le bonhomme réel et l'image mythique qu'il incarne. Un admirateur extatique de Hitler fut un jour invité au Berghof où le Führer se détendait auprès de sa compagne Eva Braun. Son aide de camp, Fritz Wiedemann, note dans son journal, en 1938, que la vie quotidienne est confortable et routinière comme une vie de famille[1]. Hitler se lève tard, ne parle pas de politique et ne consulte aucun dossier. L'adorateur est bouleversé par la rencontre qu'il va vivre auprès de son immense chef. Il est au bord de la syncope émotive quand Eva Braun, dans la pièce voisine, crie : « À table ! » Hitler se lève et se dirige vers la salle à manger. D'un seul coup, d'un seul mot, l'extase est dégonflée : un homme qui passe à table, qui obéit aux ordres d'une ménagère, ne peut pas être un surhomme, ce n'est pas ainsi qu'un héros sauve son peuple et le mène à mille ans de bonheur !

Dans la vie quotidienne, Hitler était transparent, mais dans la vie publique, il était flamboyant. Le père de ma femme, médecin militaire en captivité pendant la Seconde Guerre mondiale, raconte : « Un jour, une rumeur folle a bouleversé le camp : "Hitler va passer sur la route à côté." Tout le monde s'est précipité, le Führer est passé dans une voiture aux vitres fermées. Pas un geste, pas un mot bien sûr. Peut-être a-t-on distingué sa silhouette sur le siège arrière ? Les gardiens allemands étaient émus, et les prisonniers français ne l'étaient pas moins. Quel affolement ! Quelle émotion !

---

1. Fritz Wiedemann cité *in* H. B. Görtemaker, *Eva Braun. Life with Hitler*, Londres, Penguin Books, 2012, p. 128.

Certains parlaient joyeusement, excités après l'événement. D'autres étaient livides, au bord du malaise. Dans le réel, il ne s'était presque rien passé, une ombre dans une voiture. Mais dans la représentation du réel, ce fut un événement formidable : Hitler est passé près de moi ! »

Cette anecdote prouve que nous sommes capables d'inventer des représentations terrifiantes ou enivrantes auxquelles nous nous soumettons, jusqu'à l'aliénation parfois. Une voiture qui passe, une silhouette sur un siège, un simple mot, « c'est Hitler », avaient envahi le monde intérieur des adorateurs. Leur monde intime n'était rempli que par la transe déclenchée par une image subliminale, une ombre qui évoquait un homme immense, au-dessus des autres hommes. Les dévots ne s'appartenaient plus. En extase quasi mystique, ils étaient aliénés, étrangers à eux-mêmes, possédés.

Dans le réel, monsieur Adolf Hitler était peu de chose. Une enfance morne, sans amis ni événements. Une mère endeuillée par la perte de quatre enfants, qui adorait son fils, le servait et appelait son mari « oncle Aloïs ». « Un père à l'esprit étroit, bon vivant en dehors de chez lui et brutal dans sa famille. Son comportement ne tranchait pas avec la norme de son époque[1]. » Il battait sa femme et ses enfants, mais pas plus que les pères normaux de cette culture. Peu présent dans son foyer, il est parti vivre ailleurs, avant l'adolescence d'Adolf.

Comment deviner qu'un jour cet enfant morose et asocial allait mettre en feu l'histoire du monde ? Il « admirait les Juifs pour leur résistance aux persécutions, louait la poésie de Heine, la musique de Mendelssohn

---

1. Gaudiot B., *Adolf Hitler. L'archaïsme déchaîné*, Paris, L'Harmattan, 2001, p. 26.

ou d'Offenbach, et affirmait que les Juifs étaient la première nation civilisée[1] ». Nous aurions dû remarquer qu'il attribuait la cause de ses échecs à une force extérieure, un bouc émissaire responsable de ses malheurs. Mauvais élève, il redouble deux fois et explique sa défaillance en avançant que « les professeurs lui ont tendu des pièges pour l'empêcher de réussir[2] ». Il est désespéré quand sa mère meurt d'un cancer du sein qu'on ne savait pas soigner à cette époque. Puisqu'elle était traitée par un médecin juif, le docteur Bloch, c'est que sa mort était due « au poison juif, au profiteur juif ». À l'annonce de la capitulation allemande en 1918, le caporal Hitler se jette sur son lit, enfouit son visage dans l'oreiller et ne cesse de crier : « Les Juifs !... les Juifs !... les Juifs ! »

Une discordance étonnante s'accentue entre le petit homme quotidien et l'image fiévreuse qu'il donne dans la vie sociale : « Le Führer a personnifié ce qu'il y avait dans le crâne de ses contemporains avec une intensité tout à fait spectaculaire[3]. »

Peu intéressé par la sexualité, il a été probablement déniaisé dans un bordel, comme cela se faisait au début du xxe siècle. Quand il est amoureux d'une femme, il cherche à la détruire. Ses compagnes se suicident l'une après l'autre : Mimi Reuter, âgée de 16 ans, à qui il demande un acte notarié affirmant qu'il n'a jamais eu de rapport sexuel avec elle ; Geli Raubal, sa nièce ; Magda Behrend, future femme de Joseph Goebbels, qui se suicide avec ses quatre enfants ; Unity Mitford, une Anglaise qui l'accompagne dans ses voyages et devient

1. Kershaw I., *Hitler, 1889-1936*, Paris, Flammarion, 1998, p. 121.
2. Gaudiot B., *Adolf Hitler. L'archaïsme déchaîné, op. cit.*, p. 34.
3. Bonnafé L., « Psychiatrie en résistance », *Chimères*, 1995, 24, p. 27.

infirme après un suicide raté ; et surtout Eva Braun,
qui après deux tentatives aboutit à un suicide amoureux auprès d'Adolf, le lendemain de leur mariage[1].
Quand l'homme réel est mortifère, l'homme social provoque l'enthousiasme. Au moment où ses compagnes
voulaient mourir, Adolf recevait des milliers de lettres
d'amour de femmes désireuses de se donner à l'image
grandiose d'un homme qui s'emparait de la culture
allemande.

Cela explique pourquoi les Allemands « enchan-
tés par les théories biologiques qui cautionnaient le
racisme[2] » n'ont pas été désorientés par la médiocrité
du Führer, ni par le handicap physique de Goebbels.
Ils ont adoré un petit brun à moustache, eux qui
affirmaient que la race supérieure était composée
d'hommes grands, blonds aux yeux bleus. Ils ont obéi
à un estropié, eux qui éliminaient les malades mentaux
et les infirmes afin de purifier la race et de faire des
économies[3]. Ces Allemands cultivés n'ont pas été gênés
par la discordance entre le réel et la représentation
de ce réel, puisque Hitler était un héros et non pas
un surhomme. Malgré un départ difficile dans la vie
(comme Moïse, Œdipe, Romulus et Remus), Hitler
devenait un fondateur de culture. Il pouvait donc être
médiocre et cependant bâtir une civilisation de bons
Aryens.

---

1. Görtemaker H. B., *Eva Braun. Life with Hitler*, *op. cit.*
2. Pichot A., *La Société pure. De Darwin à Hitler*, Paris, Flammarion, 2000, p. 423.
3. Lemoine P., Cyrulnik B., *Histoire des idées folles en psychiatrie*, Paris, Odile
Jacob, 2016 [à paraître].

L'étoffe des héros

C'est dans le langage que se préparent les régimes totalitaires : « Si le langage est la caractéristique spécifique de l'humanité [il] pourrait bien servir de principe [...] par une classification scientifique de l'humanité et former la base d'un système naturel du genre humain[1]. » Si vous avez l'intention de hiérarchiser les hommes et de vous placer, bien évidemment, au sommet de la pyramide, il faudra chercher les mots qui donneront forme à vos désirs et légitimeront vos décisions. Si vous voulez imposer votre conception du monde, c'est vers les fabricants de mots qu'il faudra vous tourner. Les journalistes, les romanciers et les philosophes vous fourniront des expressions, comme des armes intellectuelles, pour façonner l'esprit des autres et les amener à suivre un homme-image, un phare, un héros que vous brandirez comme une pancarte. Vous nommerez cet écriteau « Führer » en Allemagne, « Conducator » en Roumanie, « leader », « chef » ou même « berger ». Ce mot plus doux indique tout de même que vous privilégiez le panurgisme. Le choix du mot est déjà une interprétation du monde. Les récits, les légendes, les films et les discours politiques utiliseront ces mots-pancartes et les mettront en scène de façon à planter dans votre âme une sensation de vérité.

Les artistes sont en première ligne. « L'art [...] doit servir la cause sociale, en poursuivant un but moral de formation du peuple, en l'aidant à prendre conscience

---

1. Schleicher A., *De l'importance du langage pour l'histoire naturelle de l'homme*, 1864 ; réédition Paris, Vrin, 1980, p. 25-26.

de lui-même, de sa nature, de sa race. [...] l'art indivi-
duel n'intéresse plus. Le héros [...] n'est plus l'individu
tourmenté [...], c'est l'homme fort et sain, qui proclame
ses victoires ou ses défaites, mais toujours dans un esprit
héroïque[1] », disait Grander, qui désirait défendre le réa-
lisme artistique nazi.

Les régimes totalitaires ont besoin de fabriquer
un grand nombre de héros, afin de produire une littérature où vont baigner les foules. Il s'agit alors de
composer des récits voués au culte du peuple, du roi
ou des ancêtres. Quelques histoires merveilleuses et des
chansons de geste raconteront que vous êtes issu d'aïeux
vénérables. Ils étaient forts et courageux, ils ont fécondé
ce beau pays où vous vivez aujourd'hui, ils ont fondé
un esprit vigoureux et sain dont vous avez hérité. Si
vous constatez des erreurs, des faiblesses ou des fautes,
vous direz qu'elles ne peuvent pas venir de vos ancêtres,
puisqu'ils étaient merveilleux et que vous en descendez.
La tare, quand elle existe, ne peut pas venir de vos aïeux,
elle ne peut qu'avoir été importée par des étrangers qui
n'ont pas les mêmes ancêtres, ou par des germes qui
ont souillé votre belle culture. Ce culte des ancêtres, en
idéalisant les pères fondateurs, repose sur un postulat
qui enclenche une série de pensées, de réflexes, de récits
et de mythes poétiques qu'il n'est pas nécessaire de
démontrer. Nos ancêtres étaient merveilleux puisqu'on
les dit merveilleux.

Cette attitude mentale est illustrée par le mot
« instinct ». Dans « *Mein Kampf*, Hitler affiche un
mépris constant à l'égard de la raison : pour soumettre

---

1. Grander C., *Panorama de l'Allemagne actuelle*, Paris, juillet 1941, cité *in*
L. Richard, *Nazisme et littérature*, Paris, Maspero, 1971, p. 161.

les masses, il faut s'adresser à l'instinct[1] ». Toute littérature totalitaire vise à émouvoir, non pas à développer le sens critique. Il faut galvaniser, enthousiasmer les foules pour les faire marcher comme un seul homme. Quand la raison les amène à douter, le feu intérieur les fait marcher et l'indignation désigne l'ennemi.

Dans une optique raciste, l'instinct est un mot utile à prononcer. Si vous appartenez à la race supérieure, ou si vous êtes un animal de bonne qualité biologique, vous serez forcément équipé de cette force mystérieuse venue du fond de la nature. Aucune explication rationnelle n'est utile. Vous êtes de bonne qualité, voilà tout. Et si vous êtes un homme ou un animal inférieur, la nature a prévu votre élimination, ce qui est moral puisque votre disparition maintiendra la pureté de la race.

Les super-héros des bandes dessinées ont souvent acquis des qualités animales. Ils perçoivent des indices sensoriels qu'un homme moyen ne peut pas voir. Spiderman colle aux murs, Superman fend l'air de son poing comme un éperon, Tarzan commande des bataillons d'animaux et le brave Rintintin alerte la cavalerie. On a l'impression que ces êtres vivants, animaux et humains, sont doués de qualités biologiques surnaturelles. Les religions sacrées placent l'homme au-dessus de la nature, qu'il doit dominer grâce à sa nature surnaturelle. Les héros ont acquis, grâce à un accident de la nature, une qualité surnaturelle. S'il y a des hommes et des animaux de qualité supérieure, c'est bien la preuve implicite qu'il y a des hommes et des animaux de qualité inférieure. Comment expliquer ce mystère ? Le mot « instinct » va vous répondre.

---

1. Richard L., *Nazisme et littérature*, op. cit., p. 90.

En fait, le naturalisme raciste est une idéologie. Cette théorie ne propose pas une réflexion sur la biologie, elle présente une idée naïve de la biologie plus proche de la bande dessinée que du laboratoire. Le mot « instinct » employé pour désigner ce phénomène devient une « explication » émotionnelle et non pas rationnelle. Il se décline alors en « instinct de domination », « instinct de justice », « instinct de survie », « instinct maternel » ou « instinct de ce que vous voudrez », sans avoir à l'élucider. Ce mot n'est pas plus explicatif que le mot « vertu » employé au Moyen Âge par les scolastiques : si un corps tombe, expliquent-ils, c'est bien la preuve qu'il possède une « vertu tombante » et, s'il monte comme un gaz, c'est grâce à une « vertu montante ».

Aucun concept ne peut naître en dehors de son contexte culturel. Les Grecs n'avaient pas besoin de ce mot, eux qui étaient attentifs à l'intelligence animale, à leur âme sensible, comme y avaient réfléchi Platon, Aristote, Sénèque et Plutarque[1]. Le Moyen Âge chrétien désirait rageusement arracher l'homme à la condition naturelle, c'est pourquoi ceux qui pratiquaient les sciences naturelles étaient excommuniés. Roger Bacon, philosophe anglais au XIIIᵉ siècle, fut emprisonné pour avoir pratiqué des observations naturalistes[2]. Ne croyez pas que cette position naturophobe soit une idée dépassée. Il m'est arrivé, lors de congrès scientifiques, d'être agressé pour avoir observé des bébés ! Pierre Guarrigues, Albert Demaret, Jean-Denis Delannoy avaient beau

---

1. Plutarque, *L'Intelligence des animaux* (Iᵉʳ siècle), Paris, Arléa, 2012.
2. Letard E., Theret M., Fontaine M., « Évolution des conceptions de l'homme au sujet de l'activité mentale des animaux depuis l'Antiquité jusqu'au XXᵉ siècle », *in* A. Brion, H. Ey, *Psychiatrie animale*, Paris, Desclée de Brouwer, 1964, p. 47-48.

protester qu'en tant que pédiatres ils avaient été formés à l'observation clinique, les vertueux indignés leur répondaient qu'il était scandaleux de considérer un bébé comme un objet de science.

René Descartes, à qui on reproche le concept d'« animal-machine », n'a jamais employé le mot « instinct ». C'est un Allemand, Hermann Samuel Reimar, qui, au XVIIIᵉ siècle, a décrit une « inclination naturelle de certaines actions » que pouvait désigner le mot « instinct ». Georges Cuvier et Jean-Henri Fabre (fin XIXᵉ et début du XXᵉ siècle), naturalistes opposés à l'idée d'évolution, parlaient de l'« instinct aveugle et prodigieux » pour expliquer que les insectes et les mammifères réalisaient des performances d'apparence intelligente. Mais n'en croyez rien, suggéraient-ils, l'instinct est aveugle, c'est un comportement complexe, coordonné, finalisé qui se déroule automatiquement une fois commencé. Il est invariable, quel que soit le milieu. C'est un mécanisme inné qui s'exprime dans des séquences comportementales appelées « coordinations motrices héréditaires » que des stimulus spécifiques peuvent amorcer par un mécanisme de déclenchement. Le concept d'instinct est très controversé depuis quelques décennies, même en éthologie animale[1], surtout depuis que l'épigenèse décrit comment une bandelette génétique, sans aucune mutation, s'exprime différemment selon les pressions du milieu.

Le vieux débat « inné/acquis » est un cul-de-sac conceptuel. Aucune bandelette génétique d'ADN ne peut se développer en dehors d'un environnement[2].

1. Immelmann K., *Dictionnaire de l'éthologie*, Bruxelles, Mardaga, 1990, p. 137-138.
2. Eibl-Eibesfeldt I., *Éthologie. Biologie du comportement*, Paris, Naturalia et Biologica, Éditions scientifiques, 1972.

Aucun milieu n'a d'effet s'il n'y a pas de matière à façonner. Ce concept désuet parle en fait d'un conflit idéologique entre ceux qui ont envie de croire que l'instinct existe et qui s'opposent à ceux qui ont envie de croire qu'il n'existe pas. Les partisans de l'instinct ont tendance à se soumettre aux déterminismes génétiques : « Que voulez-vous, il y a des êtres vivants de meilleure qualité que d'autres, c'est écrit dans les gènes. » Ils se soumettent aussi au culte des ancêtres : « Que voulez-vous, c'est écrit dans nos traditions. » La notion d'instinct est une explication qui arrête la pensée. C'est une idéologie qui valorise la soumission à la nature, aux chromosomes ou au culte des ancêtres.

Pourquoi devrions-nous accepter ces déterminismes passés, alors que nous savons que la biologie est étonnamment plastique et que les cultures ne cessent de bouillonner ? Nous possédons la liberté d'agir sur le milieu qui agit sur notre biologie et sur le développement de notre personne. Qui tire bénéfice de cette soumission ? Les systèmes totalitaires !

Les nazis, incroyablement soumis au passé qu'ils inventaient, étaient heureux d'employer à la moindre occasion les mots « instinct » ou « aryen ». Ils évoquaient sans cesse l'instinct maternel qui leur permettait de caractériser la condition des femmes. Ces belles pouliches étaient vouées à porter des enfants, blonds de préférence. Elles étaient honorées en tant que mères qui se consacraient à leur famille, mais jamais en tant que personnes ayant à assumer une aventure sociale ou intellectuelle. Après la guerre, certaines femmes ont considéré cette expression comme une humiliation, une manière de les rabaisser au rang des poulinières. « Il n'y a pas d'instinct maternel, c'est une manière de dénigrer la maternité[1]. » D'autres anthropologues, au contraire, voyaient dans cet instinct maternel une qualité féminine que n'avaient pas les hommes. Ce vocable évoquait pour eux « la supériorité des femmes[2] ». Mais quand John Bowlby démontra l'importance de l'affectivité maternelle dans le développement des enfants[3], les réactions féministes furent hostiles. Certaines ont interprété ces travaux sur l'attachement comme une promotion de leur pouvoir affectif, alors que d'autres en ont conclu qu'il s'agissait d'une manœuvre des hommes pour les empêcher de travailler[4].

Cette définition de l'instinct, valorisée par les pensées totalitaires, est une stratégie idéologique visant à utiliser l'« instinct guerrier » des hommes, afin de les mener facilement au sacrifice héroïque, et à glorifier l'« instinct maternel » qui honore les femmes en les réduisant à leur fonction de reproduction. Il n'est pas nécessaire de parler d'« instinct de survie » quand un animal ou un homme se débattent pour ne pas mourir. Il suffit de constater qu'ils se battent pour vivre. On ne parle pas d'« instinct de la respiration » et pourtant, quand on est asphyxié, on se bat pour respirer. Un grand nombre de femmes enceintes à la suite d'un viol, comme j'ai pu le constater au Kosovo ou au Congo, ne s'attachent pas au bébé qu'elles ont porté, mais qui dans leur âme est l'« enfant du violeur ». Si l'instinct

1. Beauvoir S., *Le Deuxième Sexe*, Paris, Gallimard, 1949.

2. Montaigu A., *The Natural Superiority of Women*, Walnut Creek, CA, Altamira Press, 1999.

3. Bowlby J., *Le Lien, la Psychanalyse et l'Art d'être parent*, Paris, Albin Michel, 2011.

4. Vicedo M., « The social nature of the mother's tie to her child : John Bowlby's theory of attachment in post-war America », *The British Journal for the History of Science*, 2011.

maternel existait, elles auraient dû s'y attacher quel que soit le contexte.

Pour légitimer cette représentation de soi comme un héros se sacrifiant pour son groupe, il fallait trouver un ancêtre qui raconterait une lignée magnifique. Les Aryens firent l'affaire, même si leurs origines indiennes ou iraniennes sont floues et mal documentées. Avant la montée du nazisme, on abordait le problème de manière approximative : « L'aryanisme est une philosophie de l'histoire qui attribue leurs acquisitions morales et matérielles à l'influence à peu près exclusive de la race aryenne [...], les conclusions sorties d'une telle conception du passé, c'est l'emprise du monde promis à l'Aryen[1]. » Un point de départ vaguement historique s'est transformé en rumeur européenne. Le féodalisme du XVIIIᵉ siècle a nourri le germanisme de cette époque. Il a suffi d'ajouter un coup de vernis oriental.

« On force les masses à assister, partout, à leur propre spectacle (réunions de masse, cortèges de masse, etc.). La masse est ainsi toujours face à elle-même ; elle se voit fréquemment sous la forme d'une décoration ou d'une image fortement évocatrice. [...] on fait jaillir toutes les forces mythiques qu'elle est capable de déployer. Beaucoup peuvent ainsi avoir l'impression [...] d'être soulevés au-dessus d'eux-mêmes[2]. » Ce héros que vous voyez est du même sang que moi, de la même lignée. Nous avons les mêmes ancêtres qui ont donné au monde la morale et la beauté. Nous nous inscrivons dans cette filiation, nous poursuivons le même combat. Tel était le message politique, l'esthétisation de

---

1. Seillière E., *Le Comte de Gobineau. L'aryanisme historique*, Paris, Plon, 1903, p. 9.
2. Cité d'après Karsten Wite, *in* P. Reichel, *La Fascination du nazisme*, Paris, Odile Jacob, « Poches Odile Jacob », 2011, p. 25-26, note 31.

l'emprise sociale dont les scénographies aryennes étaient porteuses.

L'étoffe du héros n'est donc pas biologique puisque l'instinct guerrier et l'instinct maternel sont fondés sur une biologie imaginaire. Dans les Lebensborn où de beaux étalons blonds s'accouplaient avec de jolies pouliches blondes pour faire des bons petits Aryens, l'idéologie raciste était tellement prédominante que l'on pensait que ces enfants de qualité supérieure n'avaient pas besoin d'entourage familial ou culturel pour se développer. Les résultats catastrophiques ont été comparables à ceux des mouroirs d'enfants abandonnés. Mais dans d'autres Lebensborn où les infirmières et les éducatrices se sont affectueusement occupées de ces petits Aryens, les enfants se sont épanouis. Ce bon développement confirmait apparemment la théorie raciste, puisque deux parents de bonne race avaient mis au monde un enfant bien développé. En fait, c'est l'affection des éducatrices qui avait soutenu et éduqué les enfants.

Les héros mythiques acquièrent aussi des qualités humaines supérieures à celles des hommes normaux. Ils restaurent l'ordre social, puis meurent au cours d'une magnifique tragédie. De tels récits méritent d'être contés. Notre héros le plus récent vit encore sur les tee-shirts où l'on expose le visage de Che Guevara, avec sa barbe de gauche et son béret à étoile marxiste. Celui qui porte ce vêtement exprime en un clin d'œil : « Je ne me soumets pas à l'oppression capitaliste. Je me rebelle pour proposer plus de justice sociale, le Che est mort pour cette idée. » Il est difficile de mieux sémantiser un tee-shirt.

La mort est belle quand on lutte pour la liberté des peuples, il faut se donner une « bonne mort » et esthétiser son suicide, écrit Charles Maurras[1] dans une conception d'extrême droite souvent exprimée par les SS qui écrivaient « Vive la mort ! ». Les récits fondateurs sont presque tous guerriers, ils composent des modèles dans lesquels les peuples se reconnaissent[2], ils servent d'idéaux aux peuples admiratifs en donnant une forme narrative qui unit un groupe dans l'adoration d'un même héros. On retrouve cette fonction dans toutes les cultures. L'armée zouloue qui a écrasé les troupes britanniques en Afrique du Sud (1879) marchait, comme un seul homme, sous les ordres du chef de guerre Chaka : « Chaka se redresse, grand et terrible. [...] il n'y a qu'un seul roi. [...] quiconque violera les lois de la nation par moi décrétées, connaîtra la mort[3]. » Le fait de se poser en sauveur donne au héros un pouvoir sans contestation.

Les rédempteurs naissent dans les récits où les peuples bafoués se reconnaissent. Leurs qualités extra-humaines sont acquises lors d'initiations tragiques dont ils triomphent merveilleusement. Ce n'est pas le cas du surhomme qui, lui, possède de vraies qualités biologiques. Aux jeux Olympiques, la morphologie des champions est parfaitement adaptée à la performance qu'ils rêvent de réaliser. Faute de qualités physiques, on ne peut pas être vainqueur. Les lanceurs de poids ont un gabarit hyperpuissant ; les coureurs de fond ont un thorax étroit et des jambes fines ; les sauteurs sont de longues araignées ; les sprinters ont des muscles galbés, leurs tendons d'Achille sont plus longs que ceux de la

1. Maurras C., *La Bonne Mort*, Paris, L'Herne, 2011.
2. Chaliand G., *Le Temps des héros, op. cit.*, p. 9.
3. *Ibid.*, p. 862-863.

population générale et ils sont presque toujours noirs !
Un seul Blanc jusqu'à maintenant a couru le 100 mètres
en moins de 10 secondes[1]. Attention, « déterminisme
biologique » ne veut pas dire « race » ! La calvitie possède un déterminant biologique car la testostérone altère
chez les hommes le bulbe de la racine des cheveux. Ce
n'est pas une raison pour parler de race chauve.

Depuis les années 1980 est apparu, en France surtout, un phénomène sportif qui ne concerne ni les héros
ni les surhommes. Le jogging, course lente et longue,
n'a pas de champions nationaux, ni de héros qui rêvent
de mourir pour le peuple. De plus en plus de femmes
revêtent une tenue de sport et courent en bavardant avec
une copine ou avec leur compagnon. Elles ne veulent
pas sauver la France, ni gagner une médaille prouvant
leur surhumanité. Elles veulent courir, maigrir, prendre
une douche et aller au travail. L'exemple vient d'en
bas. Ces coureurs anonymes, antichampions, antihéros,
prouvent que l'épanouissement personnel, le bien-être
physique et mental sont devenus une valeur de notre
culture occidentale. C'est une « confrontation à soi[2] »,
non plus un sacrifice pour le groupe ou une domination
des autres. Ce n'est pas une narration épique, c'est une
activité personnelle, signe de notre temps. Nous n'avons
plus besoin de héros parce que nous ne valorisons plus
le sacrifice. Dans ce contexte social, le jogging, sport
de bas niveau pratiqué par des non-héros, des non-
surhommes, est un signe de culture en paix.

Mon héros n'est pas fait de n'importe quelle
étoffe. La métaphore du tissu est parlante, mais il faut

---

1. Christophe Lemaître, champion de France du 100 mètres, couru en 9,92 secondes.
2. Yonnet P., *Jeux, modes et masses*, Paris, Gallimard, 1985, p. 100.

que son drap me convienne et que le motif dessiné me raconte un récit auquel j'aspire. L'homme réel ne m'intéresse pas, j'ai simplement besoin de savoir qu'il est capable de me protéger, de me venger des méchants qui m'ont humilié, des voisins qui veulent prendre mes terres ou de ceux qui veulent m'imposer leur loi. Ça me plaît quand on me dit que son âme est bien trempée, comme on le dit de l'acier des épées. Mais j'ai intérêt à ne pas le rencontrer dans la vie quotidienne car si je découvrais qu'il ne supporte pas le yaourt à la framboise, sa vulnérabilité digestive diminuerait la qualité de son étoffe et le pouvoir tranquillisant que je lui attribue. L'enfance de mon héros a été pauvre ou blessée quand soudain, un événement extraordinaire a révélé son don enfoui. Cet homme ordinaire est sorti de l'ordinaire. Issu du peuple, il retourne au peuple, un peu comme moi, voyez-vous. Vous croyez que je suis banal parce que je vais au bureau tous les matins et que je supporte bien les yaourts à la framboise, détrompez-vous, un événement aurait pu révéler la bravoure qui est en moi, mon héros et moi sommes de la même étoffe.

Si mon héros était un dieu, il serait tombé du ciel et son ordinaire aurait réalisé des miracles quotidiens. Si mon héros avait été un surhomme, il aurait accompli chaque jour un exploit. Mais mon héros est un homme simple, comme moi, les circonstances ont révélé ses pouvoirs, voilà tout.

Quand j'étais enfant, j'aimais entendre les récits qui reconnaissaient la valeur de mon père. On disait qu'il était un menuisier talentueux qui savait faire les meubles et les marqueteries. Plus tard, j'ai été fier d'apprendre qu'il combattait dans l'armée française.

J'ai éprouvé la même jubilation quand Zorro terrorisait les méchants riches qui terrorisaient les gentils pauvres. J'ai aimé que, de la pointe de son épée rapide comme un fouet, il signe un Z sur leur poitrine en découpant leurs vêtements. J'ai aimé Rémi, sans famille comme moi, je me suis senti proche de David Copperfield, de Jules Vallès, des héros de la Résistance et des Justes qui, comme moi, se sont tus après la guerre jusqu'au moment où la culture leur a redonné la parole. Je suis décidément un être merveilleux et merveilleusement modeste. Nous avons été jetés dans un monde mortel où vous m'avez protégé. Vous m'avez sauvé la vie et n'en avez jamais parlé. Heureusement que je suis là pour vous rendre justice et vous donner la parole. Vous voyez comme vous avez bien fait, votre héroïsme discret ajoute à votre grandeur (et à la mienne).

Un geste héroïque doit réparer une humiliation, quel qu'en soit le prix. Quand Zidane le footballeur donne un coup de tête dans la poitrine de l'Italien qui le marquait d'un peu trop près, il empêche peut-être l'équipe de France d'accéder à la finale de la Coupe du monde en 2006. Mais quand le public apprend que l'Italien proférait des insultes sexuelles à l'encontre de sa mère, on pardonne à Zidane. On est même fier qu'il ait été capable de se battre pour l'honneur d'une femme. Quand l'excellent Thierry Henry contrôle de la main le ballon et marque le but de la victoire qui élimine l'Irlande et envoie l'équipe de France au Mondial sud-africain, tout le monde, sauf l'arbitre, a vu la triche : honte sur nous les Français, ce footballeur a bafoué notre honneur ! Jacques Attali et Alain Finkielkraut, phares intellectuels de notre culture, réclament sa radiation à vie des terrains de football. La victoire a été salie par Thierry Henry, alors que la défaite a été illuminée grâce à Zidane. C'est ainsi que nous, en France, nous sauvons l'honneur des femmes et ne souillons pas nos victoires. Voilà ce que signifiaient la tête de Zidane et la main de Henry.

Le héros n'est pas une idole, ce n'est pas une image adorée comme si elle était elle-même la divinité. « C'est plutôt une icône qui, par ses qualités sensibles, peut renvoyer à un idéal[1]. » L'idole nous aveugle, elle nous ramène sur terre en se faisant passer pour une divinité, alors que l'icône symbolise un idéal merveilleux, donne de l'espoir et élève l'esprit. C'est dans cet espace psychique que vivent les héros. Un enfant encore faible, un homme blessé, un groupe humilié ont besoin d'icônes héroïques pour se réparer. Quand je serai grand, je serai menuisier et courageux comme mon père, je donnerai des coups de tête comme Zidane, et mon image réparée rendra sa dignité à mon groupe offensé. Mais il y a un piège dans cet espace qui va de l'icône à l'idole, le dérapage est facile. Quand j'adore l'image que dessine mon héros et que je me désintéresse de ce qu'elle représente, j'oublie la signification d'un honneur à réparer et je me soumets à un graphisme que je prends pour un dieu. Il me suffit de voir une barbe de gauche ou un béret marxiste pour éprouver une passion. J'adore l'image du Che, mais j'ignore la théorie pour laquelle il a accepté de mourir. Mon héros vient de se transformer en idole qui déclenche en moi la passion et arrête la pensée. Cette image, il faut qu'elle soit belle pour provoquer mon émotion, puis il suffit de l'entourer de quelques

---

1. Merle S., *Super-héros et philo*, Paris, Bréal, 2012, p. 29.

slogans que nous allons réciter à l'unisson de façon à éviter le travail de penser. Quelle extase, quel bonheur me donne la soumission ! Je me sens bien, divinement. Je viens de me laisser capturer par une pensée réflexe. Quelle bonne affaire ! Plus tard je payerai.

Dire « non[1] *»*

Nous admirons le héros qui sait dire « non » : non à la mort, non à la dictature, non au conformisme. Plus fort que la mort, ce héros est fondateur de nouvelles manières de vivre. On a bien raison de l'admirer.

Mais, si tout le monde dit « non » à chaque proposition, comment fera-t-on pour vivre ensemble ? Alors, me direz-vous, il suffit de dire « oui » pour éviter les conflits. Mais alors, comment fera-t-on pour devenir soi-même s'il n'y a qu'un seul modèle pour tout le monde ? Pour vivre ensemble tout en respectant la différenciation des personnalités, il faut donc parfois dire « non » et d'autres fois dire « oui ». Ce choix nécessite un travail de doute. Je dois peser le pour et le contre, hésiter, lire et rencontrer afin qu'un jugement s'établisse dans mon for intérieur. Pour devenir capable de décider, il ne faut pas systématiquement s'opposer ou se soumettre. Tout choix est difficile, car la pensée paresseuse, automatique et réflexe consiste à choisir son camp, ce qui évite les débats et prépare les combats contre ceux qui ont fait l'autre choix. Le doute est le premier pas

---

1. IXe Rencontres Science et Humanisme, « Dire non ? », le lazaret Ollandini, Ajaccio, 9-13 juillet 2015.

vers la liberté, mais il induit en même temps un affaiblissement de la solidarité sociale.

L'acquisition de cette aptitude à choisir se fait lentement, au gré de la construction de notre personnalité. Tant que nous n'avons pas accès à la parole, nous n'avons pas la liberté de dire « non ». Notre mère ou tout autre donneur de soins nous prend, nous soulève, nous talque, nous habille ou nous déshabille. Notre seule adaptation possible, c'est de nous abandonner au plaisir, comme une sorte de « oui » préverbal, ou de nous débattre et pleurer, comme un « non » préverbal.

Ce n'est qu'à la fin de la deuxième année que nous devenons capables d'articuler un « non ». Cet « opérateur linguistique […] en exprimant un refus devient une affirmation de soi-même[1] ». Quand la mère dit « non », elle exprime un interdit, mais quand l'enfant dit « non », il est heureux et fier d'affirmer son accès à l'autonomie, pour la première fois de sa vie. Quand la mère dit : « Viens ici, je suis en retard pour aller au travail », et que l'enfant répond « non » et part en courant, ce qui est une victoire dans l'esprit du petit devient un contretemps fâcheux pour la mère. Premier contresens affectueux qui va durer toute la vie. La négation permet à l'enfant de constituer sa propre pensée, alors qu'en même temps elle dilue la relation affective en séparant les deux psychismes.

On retrouve la même difficulté dans la vie en société. Quand on dit « non », on s'éloigne, on s'isole parfois. Mais quand on dit « oui » pour simplement rester dans le groupe, que devient notre authenticité ?

---

1. Pedinielli J.-L., « Non », *in* D. Houzel, M. Emmanuelli, F. Moggio, *Dictionnaire de psychopathologie de l'enfant et de l'adolescent*, Paris, PUF, 2000, p. 456.

Un « *yes man* » dit toujours « oui », tant il a peur de perdre l'affection des autres. C'est ainsi qu'on éprouve un intense apaisement en se soumettant à la doxa, cet ensemble d'opinions convenues qui nous évite de penser et nous aide à bêler au milieu du troupeau.

L'Inquisition, en 1600, a envoyé sur le bûcher Giordano Bruno parce que cet « hérétique » avait blasphémé contre les Écritures en soutenant que la Terre tournait autour du Soleil. « Non seulement sa doctrine s'oppose à la parole biblique, disaient les inquisiteurs, mais en plus elle est stupide puisqu'il suffit de voir que le soleil se lève à l'est et se couche à l'ouest. Tous les observateurs sont d'accord, c'est évident n'est-ce pas ? » C'est évident, mais faux ! Galilée, dix ans plus tard, a murmuré à son tour : « Et pourtant, elle tourne. » Il a fallu attendre Jean-Paul II, en 1992, pour réhabiliter cette théorie que l'on a crue blasphématoire alors qu'elle n'était que scientifique.

C'est difficile de dire « non » quand on s'oppose au plus grand nombre. C'est dangereux aussi puisqu'on se retrouve dans la situation du transgresseur. En disant que la Terre est ronde, alors qu'on voit bien qu'elle est plate, on se met à la place d'un déviant, un anormal presque. Quand cette déduction s'oppose aux Écritures, l'affirmation est blasphématoire. Celui qui pense ainsi mérite le bûcher.

Par malheur, la doxa apporte un grand bonheur. Si nous disons, tous ensemble, que la Terre est plate, nous créons une sensation de vérité puisque le groupe entier répète les paroles du chef admiré qui ne peut pas se tromper. La récitation à l'unisson des mêmes formules renforce la certitude et donne un sentiment de force. En scandant les mêmes slogans, en chantant d'un même accord dans un chœur de perroquets quelques refrains sacrés, nous finissons par éprouver un sentiment d'appartenance. Nous allons apporter le bonheur et la vérité à la masse des ignorants qui ne chantent pas avec nous. En s'ajoutant à la joie d'être ensemble, la doxa crée une certitude fortifiante, une délicieuse fraternité. Nous pensons comme un seul homme – je sais ce que pense l'autre puisqu'il pense comme moi. Notre héros commun est devenu une idole qui déclenche la passion, l'enthousiasme et le feu sacré qui nous met sur le chemin du sublime : en route pour la pensée totalitaire !

Vous, le transgresseur qui avez calculé que la Terre est ronde, vous désorientez le groupe, vous risquez de le détruire en supprimant le sentiment de sacré qu'il avait mis plusieurs siècles à édifier. Votre agression mérite le bûcher.

Quand les représentations sociales apportent de tels bénéfices tragiques, les adaptations sont claires.

– Si vous voulez être heureux, sans vous poser de questions, chantez avec le chœur, soumettez-vous.

– Si vous préférez devenir vous-même, rebellez-vous, vous payerez plus tard.

– Et si un autre groupe éprouve son bonheur en chantant d'autres hymnes et en célébrant d'autres héros, déclarez-lui la guerre car vous êtes les seuls à dire la vérité. Tout autre est un mécréant, un déviant qui vous insulte, un blasphémateur qu'il est moral d'envoyer au bûcher.

Il est difficile et douloureux de ne pas se soumettre aux récitations sociales tant les bénéfices sont grands. Partager avec un proche la croyance en un même Dieu, c'est lui faire une déclaration d'amour. Réciter dans un même groupe les slogans qui nous galvanisent, c'est éclairer le monde et renforcer nos certitudes. Faire la chasse aux transgresseurs qui brisent nos rêves, c'est préserver la normativité qui établit la hiérarchie de nos valeurs. Pour découvrir quelques morceaux de réel et devenir soi-même dans l'inévitable contexte des croyances culturelles, il est difficile de « penser contre soi-même[1] ». C'est tellement agréable de se laisser porter par le flot de la doxa, comme une sieste intellectuelle.

La liberté de penser est une épreuve angoissante parce qu'elle isole et risque de provoquer la haine de ceux qu'on aime encore, malgré nos désaccords. La soumission apporte tant de bénéfices affectifs que ça vaut bien un petit renoncement, n'est-ce pas ? Douter, c'est inhiber le plaisir de se laisser aller aux comptines du groupe. Le bénéfice adaptatif de cet assujettissement aux idées toutes faites, récitées à l'unisson, est énorme puisque la conviction donne la rapidité des réactions qui mène au pouvoir.

Victoire tragique, car elle est coupée du réel, comme une sorte de délire logique. L'ennemi est en nous-même quand nous nous soumettons à nos pulsions, autant que lorsque nous nous abandonnons sans jugement à un récit collectif. La brusquerie de la pulsion nous procure une satisfaction immédiate qui trouble les relations, tandis que le plaisir de réciter en chœur mène le groupe au pouvoir, comme un seul homme, mais entrave la personnalisation de ses sujets. Il est pourtant possible de devenir soi-même en se socialisant, à condition d'inhiber les passages à l'acte et de mettre en question les récitations.

Cette aptitude au frein émotionnel et au doute intellectuel se met en place au cours de notre

---

1. Houdé O., *Apprendre à résister*, Paris, Le Pommier, 2014, p. 19.

développement. D'abord les bébés, comme des éponges sensorielles, s'adaptent aux stimulations intérieures et extérieures. Mais, très tôt, leur jeune mémoire met en place une attente relationnelle. Quand un nourrisson a été nourri, toiletté et sécurisé, il lui suffit de percevoir le visage de celle (parfois de celui) qui a été source de bien-être pour être en attente de ce bien-être. La mémoire et l'anticipation se coordonnent déjà, ce qui définit le « modèle interne opératoire[1] » (MIO). Ce processus nécessite d'acquérir la maîtrise de la représentation du temps qui permet d'attribuer au présent une connotation de bonheur passé et à venir. À l'inverse, quand le petit a mis en mémoire une maltraitance, il est en attente d'une autre maltraitance, même quand il établit des liens avec un donneur de soins bien-traitant. Il lui faudra du temps pour effacer cette mémoire. Pour ne plus être prisonnier de son passé, soumis aux événements malheureux qui lui ont appris à attendre le malheur, il devra apprendre à devenir autonome, inhiber ses réponses réflexes et s'entraîner à juger par lui-même afin d'échapper aux récitations du groupe.

Le test du marshmallow[2] permet d'analyser comment on peut acquérir cette forme de liberté. Apprendre à ne pas répondre à une stimulation immédiate, qu'elle soit biologique, imprégnée au fond de nous-même ou qu'elle vienne de l'extérieur, véhiculée par les récits d'alentour, nous apporte un premier degré de libre arbitre.

---

1. Bretherton I., Munholland K. A., « Internal working models. Attachment relationship : A construct revisited », in J. Cassidy, P. R. Shaver (éd.), *Handbook of Attachment*, New York, The Guilford Press, 1999, p. 89-111.
2. Mischel W., *Le Test du marshmallow. Quels sont les ressorts de la volonté ?*, Paris, J.-C. Lattès, 2015.

Des enfants âgés de 3 à 5 ans sont placés face à un dilemme : sur une table, on pose une assiette avec un marshmallow (friandise caoutchouteuse, colorée et sucrée) et une autre assiette qui en contient deux. L'expérimentateur dit : « Je dois m'absenter quelques minutes. Tu as le droit de manger tout de suite un marshmallow, mais si tu attends mon retour, tu pourras en manger deux. » L'expérimentateur quitte la pièce, les caméras enregistrent les comportements des enfants. Une petite fille regarde les deux friandises et ne cesse de marmonner : « Si tu attends… deux… si tu attends… deux… » Un petit garçon se couche langoureusement près des deux friandises et les regarde en soupirant. Quelques enfants passent à l'acte pour satisfaire leur plaisir immédiat. Mille autres stratégies amusantes ont été observées. L'expérience ne parle pas de ceux qui ont mangé les trois. Puis le scientifique envoie un questionnaire aux parents et aux enseignants afin de savoir ce que sont devenus ces enfants, plus de vingt ans après leur petit supplice de Tantale[1]. Ceux qui ont été capables d'inhiber le passage à l'acte et de différer leur plaisir ont eu plus d'amis et de bons résultats scolaires, ils ont appris un métier et se débrouillent dans la vie. Ceux qui ont cédé au plaisir immédiat se sont moins bien épanouis.

Quand on refuse un biberon d'eau sucrée à un bébé, il se jette en arrière, crie, pleure, agresse ou s'autoagresse, même si on lui explique qu'il en aura deux plus tard. Il n'a pas encore acquis la maturité

---

1. Cinq cent cinquante enfants ont été ainsi observés. Les questionnaires envoyés en 1968 et 2010 portaient sur les résultats scolaires, le nombre d'amis, la vie en couple, le métier et les marqueurs de bien-être, la santé physique et mentale.

neurologique et la maîtrise des représentations verbales qui lui permettraient d'attendre.

Ce n'est que vers l'âge de 6-8 ans que l'enfant aura acquis la force intime de ne pas se soumettre à la pulsion. Il devient capable d'inhiber ses impulsions quand les neurones de son lobe préfrontal sont assez développés pour envoyer des connexions vers le système limbique, socle neurologique de la mémoire et des émotions. Or, quand un enfant préverbal a été isolé ou élevé en carence affective, ces neurones, non stimulés, n'envoient pas d'arborisation synaptique. L'enfant ne peut acquérir cette capacité neurologique à différer une réponse motrice. L'amygdale rhinencéphalique, sorte d'amande de neurones à l'extrémité du système limbique, devient hypertrophiée puisqu'elle n'est plus freinée. La moindre stimulation de cette amygdale provoque désormais une réaction émotionnelle intense, une colère ou une frayeur difficile à enrayer. L'acquisition d'une telle vulnérabilité neuroémotionnelle[1] vient du cerveau et du monde intérieur de l'enfant. Mais il faut souligner que cette incapacité à se freiner a été imprégnée dans son cerveau par un appauvrissement affectif du milieu.

L'impulsivité altère les relations de ces enfants imprévisibles, charmants et soudain violents. Leurs relations désagréables provoquent des conflits avec les pairs et le découragement des éducateurs. Au bout de quelques années, les « marshmallows impulsifs » ont une mauvaise estime de soi, alors que les « marshmallows maîtrisés » sont fiers d'avoir pu se contrôler afin de

---

1. Cohen D., « The developmental being », *in* M. E. Garralda, J.-P. Raynaud (éd.), *Brain, Mind and Developmental Psychopathology in Childhood*, New York, Jason Aronson, 2012, p. 14.

gagner plus[1]. Leur bonne estime de soi leur a permis de penser qu'ils pouvaient se gouverner et non pas simplement réagir par la fuite ou l'agression. « Ceux qui résistaient le mieux à la tentation en maternelle ont gardé toute leur vie un niveau élevé de self-control et ont affiché une nette activité dans les circuits fronto-striataux[2] ».

Cette observation expérimentale confirme que le cerveau, sculpté par le milieu, est entraîné à fonctionner sur des modes différents. Les enfants sécurisés dans une niche sensorielle stable au cours des interactions précoces, dès les premiers mois de leur vie, ont acquis un attachement sécure qui leur donne la capacité de se freiner : « Ces enfants entretiennent avec plus d'aisance des liens étroits avec les autres. Ils sont aussi plus résilients, plus souples en cas de difficultés relationnelles[3]. » Les enfants insécures, ambivalents, distants ou confus n'ont pas acquis cette facilité relationnelle, mais ils pourront la récupérer plus tard, si les circonstances les aident. Cette vulnérabilité acquise n'est pas inexorable, elle est résiliable, mais il faudra travailler.

Ce test aide à préciser ce que la psychanalyse appelle « sublimation ». Ce mot venu de l'alchimie signifie « élever en transformant ». Un nouveau-né sans pulsion n'aurait pas la force de vivre. Il lui faut une « charge énergétique facteur de motricité[4] » qui prendra forme sous les pressions du milieu. Quand la pulsion sexuelle s'éveille, ce sont les contraintes affectives et les récits culturels qui vont gouverner le jeune

---

1. Mischel W., *Le Test du marshmallow*, *op. cit.*, p. 201.
2. *Ibid.*, p. 36.
3. *Ibid.*, p. 34.
4. Laplanche J., Pontalis J.-B., « Pulsion », *in Vocabulaire de la psychanalyse*, Paris, PUF, 1973, p. 359.

et l'orienter vers son but d'une manière socialement acceptable.

La sublimation est un processus où une force biologique est gouvernée par le milieu. Alors que l'inhibition est un phénomène actif, presque intentionnel où le sujet freine sa pulsion afin d'accéder à une meilleure réalisation de soi. Désormais le processus n'est plus biologique, ce sont l'affectivité précoce et les récits d'alentour qui gouvernent les sentiments.

De 1950 à 1954, il y a eu aux États-Unis une étrange épidémie de croyance déclenchée par le sénateur McCarthy. De nombreux Américains ont été convaincus que les communistes s'infiltraient dans les administrations, les commerces, les universités, et surtout dans la littérature et le cinéma. Ce complot soviétique allait détruire la démocratie américaine, il fallait résister en organisant une croisade pour démasquer les traîtres. Une avalanche de dénonciations a provoqué un grand nombre de procès, à la suite desquels quatre millions d'Américains ont perdu leur emploi, plusieurs milliers ont dû s'exiler (dont Charlie Chaplin) et quelques-uns, comme les époux Rosenberg, ont été exécutés sur la chaise électrique. La pression du conformisme était si forte dans la vie quotidienne que celui qui ne participait pas à la chasse aux traîtres était considéré comme complice des agresseurs[1].

Dans cette poussée d'indignations vertueuses, la jeune chanteuse Joan Baez et sa famille ont su garder la tête froide. D'abord intrigués puis sceptiques, ils ont pris le risque d'être dénoncés puisqu'ils ne criaient

---

1. Toinet M.-F., *La Chasse aux sorcières. 1947-1957*, Bruxelles, Complexe, 1997.

pas avec le plus grand nombre. Au cours d'exercices d'alerte qui simulaient des attaques de l'Union soviétique, on entraînait les enfants à se jeter par terre, à se blottir contre un mur ou à se ruer dans la cave[1]. On filmait ces mises en scène que l'on projetait ensuite dans les salles de spectacle. Tout le monde y croyait et le partage de ces croyances produisait chez les Américains un sentiment de solidarité qui les sécurisait. Joan Baez et sa famille, en ne participant pas aux exercices d'alerte, se trouvaient en situation de transgresseurs, d'agresseurs presque, car leur réticence les désolidarisait.

Le sénateur McCarthy avait pour ambition de planter dans l'esprit du peuple américain le sentiment que l'attaque des Russes était imminente. La chasse aux communistes paraissait une réaction de légitime défense. Dans un tel contexte d'épidémie de croyances, ceux qui ne se laissaient pas contaminer prenaient le risque de se retrouver en position de traîtres.

Le même phénomène s'est reproduit quand George W. Bush a décidé la deuxième guerre d'Irak en 2008. On pouvait considérer les États-Unis en état de légitime défense après l'attentat du 11 septembre 2001 contre les Twin Towers de Manhattan. Il a fallu d'abord provoquer une indignation populaire pour justifier l'envoi de l'armée américaine au Proche-Orient. Quand la France ne s'est pas laissé embarquer dans cette épidémie émotionnelle, elle a détourné l'agressivité contre elle. De braves Américains débouchaient des bouteilles de vin de Bordeaux et les versaient dans le caniveau, tandis que des pancartes affichaient des slogans : « Vous avez

---

1. Wharton M., *Joan Baez*, documentaire diffusé sur Arte le 25 juillet 2015.

oublié qu'on vous a libérés [en 1944]. N'achetez ni frites ni vins français. »

La famille Baez et certains Américains ne se sont pas laissé entraîner, parce qu'ils avaient choisi la stratégie du doute rationnel : « Je vais prendre mon temps, chercher d'autres renseignements, agencer mes informations et alors je jugerai. »

Les résistants ne sont pas des héros

Résister, c'est affronter un discours qui a la possibilité de nous imposer sa loi. Cette réaction est totalement différente du terrorisme, qui veut nous imposer sa loi par des actions qui inspirent la terreur. Le terroriste doit faire un massacre spectaculaire pour affoler le peuple. Les médias se font porte-parole et porte-images en colportant le spectacle du crime qui doit être horrible afin de soumettre la population.

Le résistant, au contraire, se tient dans l'ombre[1], il ne cherche pas à passer à la télévision, surtout pas en temps de guerre. Il s'attaque à ceux qui l'attaquent et tente de les affaiblir en détruisant leurs réserves alimentaires, leurs transports d'armes, de troupes ou leurs officiers supérieurs[2]. Il ne veut pas forcément tuer et ne cherche pas à mourir. Il ne met pas de bombe dans les pâtisseries et n'entre pas dans les écoles avec une Kalachnikov et une caméra afin de donner à voir comment il massacre des enfants.

---

1. Wieviorka O., *Histoire de la Résistance*, Paris, Perrin, 2013.
2. Témoignage Jacques Szmulewicz, *Souvenirs d'un FTP-MOI*, 2014, communication personnelle.

Dans un contexte de guerre où la violence extrême est une forme de politique, ceux qui disent « oui » sont aussi étonnants que ceux qui disent « non ».

Comment peut-on dire « oui » quand on reçoit l'ordre d'entrer dans une école et de tuer les enfants, un par un, d'une balle dans la tête ? Quand on est un Allemand bien éduqué, bien diplômé, comment fait-on pour exécuter cet ordre ? Pourquoi a-t-on honte quand on n'a pas la force de tuer ces enfants[1] ? Comment peut-on dire « non », quand on sait qu'après avoir prononcé ce mot, notre vie ne sera plus la même ? Nous risquons la prison et la mort, notre famille et nos enfants seront persécutés dès que nous aurons dit « non ».

La Résistance implique le secret pour ne pas mourir et ne pas entraîner dans la mort ceux qu'on aime. Quand la paix est revenue, l'héroïsation des résistants n'a pas été automatique. La plupart d'entre eux se sont tus après la guerre, parce qu'ils se sentaient parfois coupables d'avoir mis en jeu la vie de leurs proches et étaient gênés de raconter des histoires qui prenaient l'allure d'une vantardise dans un pays en paix[2].

Quelques-uns se sont glorifiés d'actes qu'ils ont abusivement baptisés « Résistance ». La culture goguenarde a mis en lumière ces faux héros, alors qu'elle aurait dû donner la parole à ceux qui ont résisté. La pensée paresseuse réagit comme un réflexe, elle ne pense qu'à la résistance armée, alors qu'on risquait sa vie aussi sûrement lorsqu'on portait un message ou quand on

---

1. Browning C., « Perpetrators as ordinary men », *in The Brains that Pull the Triggers*, conférence, Paris, Institut d'études avancées, 28 avril 2015.
2. Ferro M., Jorland G., *Autobiographie intellectuelle*, Paris, Perrin, 2011.

cachait un enfant condamné à mort par un récit totalitaire[1].

Il y a une gradation entre ceux qui montent sur une barricade pour qu'on les voie mourir une arme à la main et ceux qui, sans un mot, simplement, n'obéissent pas. Ceux qui se donnent à voir prennent une fonction d'image. Leur mort magnifique galvanise ceux qui résistent à l'oppresseur. La mort spectaculaire d'un martyr fait naître dix résistants armés. Il n'y a pas de mise en scène chez les « refusants[2] ». En silence, sans éclat, ils ne se soumettent pas. Ils préservent en eux-mêmes un espace de liberté dont ils ne parleront pas. Ils ne disent même pas « non », simplement ils n'obéissent pas. Peut-être même ne décident-ils pas clairement de désobéir, ça se décide en eux de ne pas obéir.

Au cours de la rafle du Vél' d'Hiv, le 16 juillet 1942, sept mille fonctionnaires français, policiers et collaborationnistes raflent près de treize mille Juifs, des femmes et des enfants essentiellement (dix mille) et des hommes âgés (deux mille sept cents). Les adultes en âge de combattre n'ont pas été répertoriés puisqu'ils étaient presque tous engagés dans l'armée française ou dans la Résistance[3]. Un policier pousse à coups de crosse les femmes dans un autobus réquisitionné. Une petite fille se retrouve isolée, désespérée au milieu de la rue. Il saisit l'enfant, la porte sur le trottoir vers une femme qui assistait à la rafle et lui dit d'un air faussement fâché :

1. Peschanski D., « Comment parvenir à faire reconnaître la mémoire des combattants juifs de France dans leur singularité et leur combat commun », *in Les Juifs ont résisté en France*, Paris, ACCE, 2009, p. 241-252.
2. Breton P., *Les Refusants*, Paris, La Découverte, 2009.
3. Bensoussan G., Dreyfus J.-M., Husson E., Kotek J., *Dictionnaire de la Shoah*, Paris, Larousse, 2009, p. 578.

« Madame, vous pourriez tout de même vous occuper de votre enfant. » Une telle insoumission soudaine n'est pas rare, même lors des génocides les plus sanglants. Au Rwanda, en 1994, les Hutus commencent à massacrer les Tutsis au nom du sempiternel argument : « Nous faisons ça pour nous défendre. » Il est arrivé qu'un Hutu ne se laisse pas embarquer dans l'orage émotionnel qui submergeait ses proches. Il regarde passer ses amis qui partent le matin pour la « corvée de tuerie », planifiée par la Radio des Mille Collines. Il leur dit : « Ne versez pas trop de sang », puis s'en va cacher sous l'évier de sa cuisine une voisine tutsie. En 1940, un Polonais qui était surpris en train d'aider un Juif pouvait être abattu sur place. C'est pourtant dans ce pays qu'il y a eu six mille six cents Justes. En 1915, quand un Turc tentait de secourir un Arménien, il devait être tué et son corps laissé sur place devait brûler avec sa maison incendiée. De nombreux Turcs, sans un mot, ont protégé des Arméniens[1]. Mehmet Djelal Bey, gouverneur turc en poste à Konya en Anatolie, n'a pas obéi à son gouvernement. Il a refusé de déporter les Arméniens et de voler leurs biens.

Où se cache la raison lors de ces tragédies ? Si les nazis avaient gagné la Seconde Guerre mondiale, les dignitaires, malgré leurs crimes, seraient aujourd'hui honorés dans un panthéon aryen. Aucun Résistant, aucun Juste n'aurait été héroïsé. Cela prouve que les héros sont élus par leur groupe pour illustrer la victoire de celui qui a joué le rôle d'étendard.

Plus l'émotion est intense, plus elle obscurcit la raison et plus l'individu se soumet à des représentations

---

1. Kévorkian R., Nordiguian L., Tachjian V., *Les Arméniens, 1917-1939. La quête d'un refuge*, Beyrouth, Presses de l'Université Saint-Joseph, 2007.

coupées de la réalité. Les fictions, elles, remanient la réalité mais n'en sont pas coupées. Même les délires sont construits à partir de segments de réel agencés de façon à composer une représentation de moins en moins congruente avec le réel.

Dans une chimère, tout est vrai : les pattes sont d'un lion, le ventre d'un taureau et les ailes d'un aigle. Et pourtant, cet assemblage d'éléments réels compose un animal imaginaire. Le montage doit être cohérent, il faut que l'on puisse croire que l'animal sait voler, que son corps est puissant et qu'il pourrait nous déchiqueter avec son redoutable bec. La cohérence de cet animal imaginaire imprègne dans notre esprit une sensation de force terrible, une attaque contre laquelle il est légitime de se protéger. En quelque sorte, cette sensation est une « croyance-vraie » puisque nous la ressentons réellement au fond de nous-même. Nous y croyons comme à une évidence. Si nous voulons survivre sans céder à la panique, nous devons contre-attaquer de toute urgence. C'est ainsi que nous nous soumettons à ce que nous venons d'imaginer. Ce processus habituel explique les divergences dans nos manières de voir le monde, contradictoires et toutes vraies, puisque ces représentations désignent ce que nous ressentons dans notre âme et non pas ce qui est dans le réel.

Pour vivre ensemble quand nous partageons un même récit, nous nous engageons sur le chemin du mythe. Le simple fait d'imaginer un récit de nos origines communes installe en nous un sentiment de fraternité. Le roman de nos origines est documenté par des archives familiales qui remontent à trois générations, ou quatre peut-être. Et encore, pas pour tout le monde ! Quant à ceux qui prétendent « remonter à

Saint Louis », sont-ils sûrs qu'ils sont le fruit du père désigné par la mère ou par la société ? Les tests ADN prouvent aujourd'hui qu'un grand nombre d'enfants ne peuvent pas être issus du père déclaré. Quant à la désignation du père, elle n'est pas la même selon les cultures. Celui qui est dénommé « oncle » dans une culture occidentale est souvent désigné comme « père » dans une culture africaine. En quelques générations, toute filiation devient vraie comme sont vraies les chimères. Cela nous aide à comprendre que ce que nous éprouvons réellement, dans notre corps, est le produit d'une représentation imaginaire. En agissant sur notre âme, elle provoque une sensation d'évidence qui nous pousse à nous défendre contre d'autres chimères qui nous attaquent. Elle peut aussi nous inviter à réaliser les utopies qui nous enchantent, « l'imaginaire se répercute dans le monde réel : il est une force mobilisatrice qui nous pousse à voyager, entreprendre, s'engager… Bref, à donner vie à nos chimères[1] ». Ce processus fait vivre en nous un animal imaginaire qui nous engage dans le réel. Pourrait-on appeler « délire logique » ces animaux étranges qui vivent au fond de nous et procurent une sensation de vérité ? Quand ceux que j'aime et que j'admire partagent avec moi la vision du même animal, c'est bien la preuve qu'il existe. J'y crois, puisque tous ensemble nous le ressentons.

---

1. Dortier J.-F., « L'espèce imaginative. Les pouvoirs de l'imaginaire », *Sciences humaines*, n° 173, août-septembre 2015, p. 35.

Les Âmes blessées, 2014.

Résilience et personnes âgées (dir. avec Louis Ploton), 2014.

Résilience. De la recherche à la pratique (dir. avec Marie Anaut), 2014.

Sauve-toi, la vie t'appelle, 2012.

Résilience. Connaissances de base (dir. avec Gérard Jorland), 2012.

Quand un enfant se donne « la mort ». Attachement et sociétés, 2011.

Famille et résilience (dir. avec Michel Delage), 2010.

Mourir de dire. La honte, 2010.

Je me souviens…, « Poche Odile Jacob », 2010.

Autobiographie d'un épouvantail, 2008.

École et résilience (dir. avec Philippe Duval), 2006.

De chair et d'âme, 2006.

Parler d'amour au bord du gouffre, 2004.

Le Murmure des fantômes, 2003.

Les Vilains Petits Canards, 2001.

Un merveilleux malheureux, 1999.

L'Ensorcellement du monde, 1997.

De l'inceste (avec Françoise Héritier et Aldo Naouri), 1994.

Les Nourritures affectives, 1993.

Imprimé en France par
Maury Imprimeur - 45330 Malesherbes
en juin 2016

N° d'impression : 209090
N° d'édition : 3467-X
Dépôt légal : avril 2016